Os EXILADOS da capela

CB018260

EDGARD ARMOND

Os EXILADOS da capela

Aliança

Copyright © 1951 *Todos os direitos reservados à Editora Aliança.*
5ª edição, 10ª reimpressão, Janeiro/2025, do 404º ao 409º milheiro

TÍTULO
Os Exilados da Capela

AUTOR
Edgard Armond

REVISÃO
Maria Aparecida Amaral / Selma Cury

DIAGRAMAÇÃO
Ariane Haas Franco

CAPA
Ariane Haas Franco

IMPRESSÃO
Rettec Artes Gráficas e Editora Ltda.

FICHA CATALOGRÁFICA

Dados Internacionais de Catalogação na Publicação (CIP)
— Câmara Brasileira do Livro | SP | Brasil —

Os Exilados da Capela / Edgard Armond.
São Paulo : Editora Aliança, 2011.

ISBN: 978-85-8364-021-9 / 192 páginas

1. Espiritismo 2. Evolução Espiritual
I. Título.

11-01788   CDD-133.9

ÍNDICE PARA CATÁLOGO SISTEMÁTICO:

1. Espiritismo   133.9

EDITORA ALIANÇA
Rua Major Diogo, 511 - Bela Vista - São Paulo - SP
CEP 01324-001 | Tel.: (11) 2105-2600 | @aliancalivraria
www.editoraalianca.com.br | editora@editoraalianca.com.br

"Queiram ou não queiram os homens, com o tempo, a luz da verdade se fará nos quatro cantos do mundo."

Palavras de Razin,
Guia Espiritual.

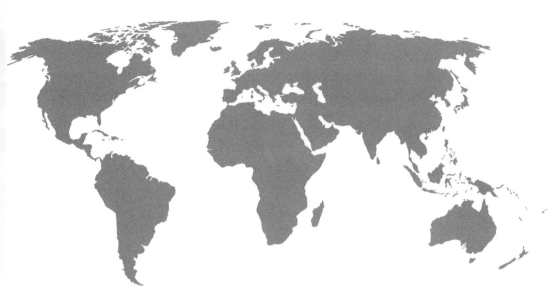

ADVERTÊNCIA

Esta não é uma obra de erudição, ou de ciência, que se apoie em documentos ou testemunhos oficialmente aceitos e de fácil consulta.

É um simples ensaio de reconstituição histórico-espiritual do mundo, realizado com auxílio da inspiração.[1]

Nada, pois, de estranhável, que se lhe dê valor relativo em atenção a algumas fontes de consulta recorridas, dentre as quais se destacam:

Gênese, de Moisés

A Gênese, de Allan Kardec

A Caminho da Luz, de Emmanuel, psicografia de Francisco Cândido Xavier.

---

[1] **Inspiração** — Fenômeno psíquico, segundo o qual ideias e pensamentos são emitidos e recebidos telepaticamente.

SUMÁRIO

Apresentação 11

Título 13

I   - A Constelação do Cocheiro 17
II   - As Revelações Espíritas 19
III   - Os Três Ciclos 25
IV   - No Tempo dos Primeiros Homens 29
V   - As Encarnações na Segunda Raça 43
VI   - A Terceira Raça-Mãe 49
VII   - Como Era, Então, o Mundo 55
VIII   - A Sentença Divina 59
IX   - As Reencarnações Punitivas 65
X   - Tradições Espirituais da Descida 71
XI   - Gênese Mosaica 85
XII   - Seth - O Capelino 89
XIII   - Da Descida à Corrupção 93
XIV   - Os Expurgos Reparadores 99
XV   - Na Atlântida, a Quarta Raça 105
XVI   - A Quinta Raça 121
XVII   - O Dilúvio Bíblico 127
XVIII - Os Quatro Povos 135
XIX   - A Mística da Salvação 137
XX   - A Tradição Messiânica 145
XXI   - E o Verbo se Fez Carne 159
XXII   - A Passagem do Milênio 165

ÍNDICE DAS ILUSTRAÇÕES

Fig. 1 - Mapa Celeste
Com a Localização da Estrela Capela.................. 15

Fig. 2 - Tipos do Paleolítico
Evolução do Homem.. 41

Fig. 3 - Terras Primitivas com a Formação da
Terceira Raça-Mãe 56

Fig. 4 - Terras Primitivas com a Formação da
Quarta Raça-Mãe...104

Fig. 5 - Terras Primitivas com a Formação da
Quinta Raça-Mãe 118

Fig. 6 - Situação Atual e Terras Desaparecidas.............119

APÊNDICE

Fig. 7 - Períodos Paleontológicos e Geológicos 188

Fig. 8 - Histórico da Evolução do Homem......................189

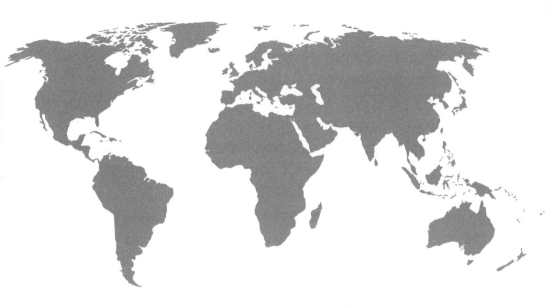

APRESENTAÇÃO

O conhecimento da pré-história ressente-se de documentação, não só por sua antiguidade como pelas destruições feitas do pouco que, atravessando séculos, chegou às gerações posteriores.

A Biblioteca de Alexandria, por exemplo, que reuniu mais de 700 mil volumes sobre o passado da civilização, foi destruída, parte pelos romanos de César, em 47 a.C., e pelos muçulmanos, no séc. VII.

Houve destruição na China em 240 a.C.; em Roma no século III; no México, Peru e Espanha no século XVI; na Irlanda e no Egito no século XVIII.

E não foram queimadas pelo clero de Barcelona, na Espanha, em nossos dias, em praça pública, as obras da Codificação Espírita recebida através de Allan Kardec?

Pode-se dizer que as fogueiras e os saques representaram, na longa noite da Idade Média, portas que se fecharam fortemente para o conhecimento de tudo quanto ocorrera no passado da humanidade, sobretudo na pré-história.

Alguma coisa que se salvou dessas destruições, na parte devida aos homens, tem vindo agora à luz do Sol, como aconteceu, em 1947, com os documentos chamados "Do Mar Morto".

Este trabalho de levantamento do passado está recebendo agora um forte impulso por parte de devotados investigadores, na forma de publicações literário-científicas, animadas de um interesse que não se esgota.

Este livro, editado pela primeira vez em 1951, filia-se a esse setor de publicações, conquanto se refira, na realidade, a assuntos espirituais e religiosos: imigrações de espíritos vindos de outros orbes; afundamento de continentes lendários e transferência de conhecimentos, ou melhor, de tradições espirituais do Ocidente para o Mediterrâneo, há milênios.

É um livro pioneiro na utilização didático-doutrinária desses conhecimentos, incluídos pelo autor nos programas da Escola de Aprendizes do Evangelho, da Iniciação Espírita, fundada em 1950, destinada a promover a aculturação de todos aqueles que desejam realizar sua espiritualização na linha iniciática cristã, nos moldes estabelecidos pela Doutrina dos Espíritos.

A terceira edição vem a público com revisão ortográfica e atualização de dados — históricos e técnicos.

São Paulo, janeiro de 1999.
A Editora

TÍTULO

Muitas vezes, em momentos de meditação, vieram-nos à mente interrogações referentes às permutas e migrações periódicas de populações entre os orbes e, no que diz respeito à Terra, às ligações que, porventura, teria tido uma dessas imigrações — a dos habitantes da Capela — com a crença universal planetária do Messias, bem como com seu advento, ocorrido na Palestina.

A resposta a estas perguntas íntimas aqui está, em parte, contida, segundo um dado ponto de vista.

É o argumento central desta obra, escrita sem nenhuma pretensão subalterna, mas unicamente para satisfazer o desejo, tão natural, de quem investiga a Verdade, de auxiliar a tarefa daqueles que se esforçaram no mesmo sentido.

Nada há aqui que tenha valor em si mesmo, quanto à autoria do trabalho, salvo o esforço de coligir e comen-

Edgard Armond

tar, de forma, aliás, muito pouco ortodoxa, dados espar-
sos e complementares, existentes aqui e ali, para com
eles erigir esta síntese espiritual da evolução do homem
planetário.

O Autor

EIS O ASTRO BENIGNO,
O LUMINOSO MUNDO...
O PARAÍSO DOS NOSSOS SONHOS,
QUE PERDEMOS, TALVEZ, PARA SEMPRE...

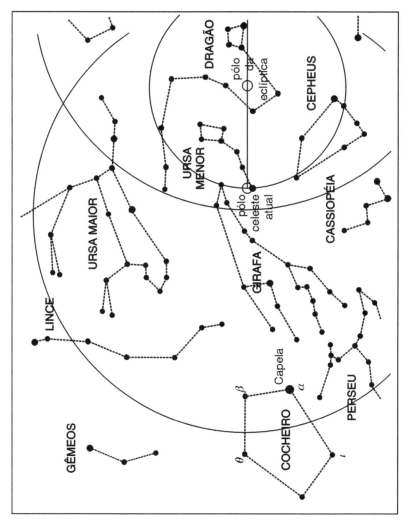

FIG. 1: MAPA CELESTE (PARCIAL), COM A LOCALIZAÇÃO DA CAPELA, ESTRELA α (DE MAIOR BRILHO) DA CONSTELAÇÃO DO COCHEIRO

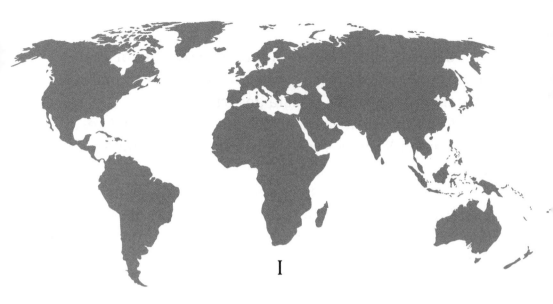

I

A CONSTELAÇÃO DO COCHEIRO

— "Nos mapas zodiacais, que os astrônomos terrestres compulsam em seus estudos, observa-se, desenhada, uma grande estrela na Constelação do Cocheiro que recebeu, na Terra, o nome de Cabra ou Capela.

Magnífico Sol entre os astros que nos são mais vizinhos, ela, na sua trajetória pelo Infinito, faz-se acompanhar, igualmente, da sua família de mundos, cantando as glórias divinas do Ilimitado." (*A Caminho da Luz*, Emmanuel, cap. III)

———≻≫≪≺———

A Constelação do Cocheiro é formada por um grupo de estrelas de várias grandezas, entre as quais se inclui a Capela, de primeira grandeza, que, por isso mesmo, é a alfa da constelação. (Fig. 1, pág. 15)

Capela é uma estrela inúmeras vezes maior que o nosso Sol e, se este fosse colocado em seu lugar, mal seria percebido por nós, à vista desarmada.

Dista da Terra cerca de 45 anos-luz, distância esta que, em quilômetros, se representa pelo número de 4.257 seguido de 11 zeros.

Na abóbada celeste Capela está situada no hemisfério boreal, limitada pelas constelações da Girafa, Perseu e Lince, e, quanto ao Zodíaco, sua posição é entre Gêmeos e Touro.

Conhecida desde a mais remota antiguidade, Capela é uma estrela gasosa, segundo afirma o célebre astrônomo e físico inglês Arthur Stanley Eddington (1882-1944), e de matéria tão fluídica que sua densidade pode ser confundida com a do ar que respiramos.

Sua cor é amarela, o que demonstra ser um Sol em plena juventude, e, como um Sol, deve ser habitada por uma humanidade bastante evoluída.[2]

---

[2] Ver *O Livro dos Espíritos*, Allan Kardec, perg. 188. (Nota da Editora)

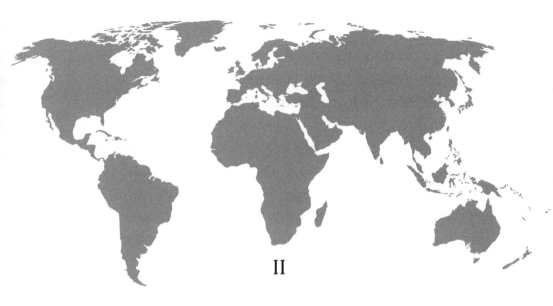

II

AS REVELAÇÕES ESPÍRITAS

A Doutrina Espírita é, realmente, uma fonte de ensinamentos, não só no que respeita à imortalidade da alma e suas reencarnações periódicas; às condições de vida nos planos invisíveis, que apresenta com detalhes jamais revelados; ao conhecimento do Ego e das hierarquias espirituais; às sutilíssimas intercorrências cármicas; ao intercâmbio dos seres habitantes dos diferentes mundos e os processos mediante os quais se opera, como também ao complexo e infinito panorama da vida cósmica que, como uma imensa fonte, escachoa e turbilhona no eterno transformismo que caracteriza e obriga a evolução de seres e de coisas.

Tudo isto, em verdade, pode ser também encontrado, de forma mais ou menos clara ou velada, nos códigos religiosos ou nas filosofias que o homem vem criando ou adotando, no transcurso do tempo, como resultado de sua ânsia de saber e necessidade imperativa de sua alma, sedenta sempre de verdades.

Tudo tem sido revelado, gradativamente, em partes, pelo Mestre Divino ou pelos missionários que Ele tem enviado, de tempos a tempos, ao nosso orbe, para auxiliar o homem no seu esforço evolutivo, revelações essas que se dilataram enormemente e culminaram com os ensinamentos de Sua boca e a exemplificação de Sua vida, quando aqui desceu, pela última vez, neste mundo de misérias e maldades, para redimi-lo:

— "Sobre os que habitavam a terra de sombra e de morte resplandeceu uma luz." (Is, 9:2)

Por outro lado, a ciência materialista estudando as células, comparando os tipos, escavando a terra e devassando os céus tem conseguido estabelecer uma série de conclusões inteligentes e justas, de seu ponto de vista, para explicar as coisas, compreender a vida e definir o homem.

Porém, somente em nossos dias, pela palavra autorizada dos Espíritos do plano invisível, que vieram tornar realidade, no momento preciso, as promessas do Paracleto, é que, então, a revelação se alargou, com clareza e detalhes, à medida que nossos Espíritos, tardos ainda e imperfeitos, têm sido capazes de comportá-la.

Cumpre-se, assim, linha por linha, a misericordiosa promessa do Cristo, de nos orientar e esclarecer, quando disse:

— "Eu rogarei ao Pai e ele vos dará outro Consolador, para que fique convosco para sempre: o Espírito de Verdade, que o mundo não pode receber porque não o vê nem o conhece, mas vós o conheceis porque habita convosco e estará em vós. (Jo, 14:16-17)

— Ainda um pouco e o mundo não me verá mais, porém vós me vereis: porque eu vivo e vós vivereis. (Jo, 14:19)

— Não vos deixarei órfãos: voltarei para vós. — Ainda tenho muitas coisas para vos dizer, mas não as podeis suportar, agora. Porém, quando vier aquele Espírito de Verdade, ele vos ensinará todas as coisas e vos guiará em toda a verdade." (Jo, 14:18; 16:12-13)

Sim, não nos deixaria órfãos e, realmente, não nos tem deixado.

Já é grande e precioso o acervo de verdades de caráter geral que nos tem sido trazido, principalmente após o advento da Terceira Revelação pela mediunidade e, sobretudo, nos terrenos da moral e das revelações espirituais entre os mundos; porém, é necessário também que se diga que nesse outro setor, mais transcendente, dos conhecimentos cósmicos, um imenso horizonte ainda está escondido por detrás da cortina do "ainda é cedo" e, somente com o tempo e com a ascensão na escada evolutiva, poderá o homem desvendar os apaixonantes e misteriosos arcanos da criação divina.

Emmanuel — um desses Espíritos de Verdade — vem se esforçando, de algum tempo a esta parte, em auxiliar a humanidade nesse sentido, levantando discretamente e com auxílio de outros benfeitores autorizados, novos campos da penetração espiritual, para que o homem deste fim de ciclo realize um esforço maior de ascensão e se prepare melhor para os novos embates do futuro no mundo renovado do Terceiro Milênio que tão rapidamente se aproxima.

➤➤◄◄◄

Assim, sabemos agora que esta humanidade atual foi constituída, em seus primórdios, por duas categorias de homens, a saber: uma retardada, que veio evoluindo lentamente, através das formas rudimentares da vida terrena, pela seleção natural das espécies, ascendendo trabalhosamente da Inconsciência para o Instinto e deste para a Razão; homens, vamos dizer autóctones, componentes das raças primitivas das quais os "primatas" foram o tipo anterior mais bem definido; e outra categoria, composta de seres mais evoluídos e dominantes, que constituíram as levas exiladas da Capela[3], o belo orbe da constelação do Cocheiro a que já nos referimos, além dos inumeráveis sistemas planetários que formam a portentosa, inconcebível e infinita criação universal.

Esses milhões de ádvenas para aqui transferidos, em época impossível de ser agora determinada, eram detentores de conhecimentos mais amplos e de entendimentos mais dilatados, em relação aos habitantes da

---

[3] Há, também, notícias de que, em outras épocas, desceram à Terra instrutores vindos de Vênus.

Terra, e foram o elemento novo que arrastou a humanidade animalizada daqueles tempos para novos campos de atividade construtiva, para a prática da vida social e, sobretudo, deu-lhe as primeiras noções de espiritualidade e do conhecimento de uma divindade criadora.

Mestres, condutores, líderes, que então se tornaram das tribos humanas primitivas, foram eles, os Exilados, que definiram os novos rumos que a civilização tomou, conquanto sem completo êxito.

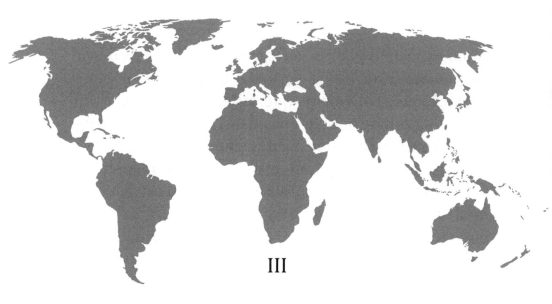

III

OS TRÊS CICLOS

Para melhor metodização do estudo que vamos fazer, deste tão singular e interessante assunto, julgamos aconselhável dividir a história da vida humana, na Terra, em três períodos ou ciclos que, muito embora diferentes das classificações oficiais, nem por isso, todavia, representam discordância em relação a elas; adotamos uma divisão arbitrária, unicamente por conveniência didática, segundo um ponto de vista todo pessoal.

É a seguinte:

1º Ciclo:
Começa no ponto em que os Prepostos do Cristo, já havendo determinado os tipos dos seres dos três reinos inferiores e terminado as experimentações fundamentais para a criação do até hoje misterioso tipo de transição entre os reinos animal e humano, apresentaram,

como espécime-padrão, adequado às condições de vida no planeta, esta forma corporal crucífera, símbolo da evolução pelo sofrimento que, aliás, com ligeiras modificações, se reflete no sistema sideral de que fazemos parte e até onde se estende a autoridade espiritual de Jesus Cristo, o sublime arquiteto e divino diretor planetário.

O ciclo prossegue com a evolução, no astral do planeta, dos espíritos que formaram a Primeira Raça-Mãe; depois com a encarnação dos homens primitivos na Segunda Raça-Mãe, suas sucessivas gerações e selecionamentos periódicos para aperfeiçoamentos etnográficos; na terceira e na quarta, com a migração de espíritos vindos da Capela; corrupção moral subsequente e expurgo da Terra com os cataclismos que a tradição espiritual registra.

2º Ciclo:
Inicia-se com as massas sobreviventes desses cataclismos; atravessa toda a fase consumida com a formação de novas e mais adiantadas sociedades humanas e termina com a vinda do Messias Redentor.

3º Ciclo:
Começa no Gólgota, com o último ato do sacrifício do Divino Mestre, e vem até nossos dias, devendo encerrar-se com o advento do Terceiro Milênio, em pleno Aquário, quando a humanidade sofrerá novo expurgo — que é o predito por Jesus, nos seus ensinamentos, anunciado desde antes pelos profetas hebreus, simbolizado por João, no Apocalipse, e confirmado pelos emissários da Terceira

Revelação — época em que se iniciará, na Terra, um período de vida moral mais perfeito, para tornar realidade os ensinamentos contidos nos evangelhos cristãos.

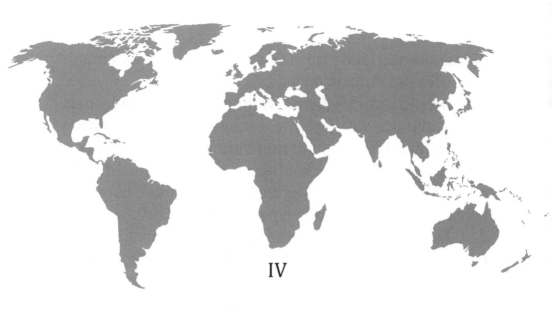

IV

NO TEMPO DOS PRIMEIROS HOMENS

Hoje, não mais se ignora que os seres vivos, suas formas, estrutura, funcionamento orgânico e vida psíquica, longe de serem efeitos sobrenaturais ou fruto de acasos, resultam de estudos, observações e experimentações de longa duração, realizados por entidades espirituais de elevada hierarquia, colaboradoras diretas do Senhor, na formação e no funcionamento regular, sábio e metódico, da criação divina.

O princípio de todas as coisas e seres é o pensamento divino que, no ato da emissão e por virtude própria, se transforma em leis vivas, imutáveis, permanentes.

Entidades realmente divinas, como intérpretes, ou melhor, executoras dos pensamentos do Criador, utilizam-se do Verbo — que é o pensamento fora de Deus — e pelo Verbo plasmam o pensamento na matéria; a força do Verbo, dentro das leis, age sobre a matéria, condensando-a, criando formas, arcabouços, para as manifestações individuais da vida.

O pensamento divino só pode ser plasmado pela ação dinâmica do Verbo, e este só pode ser emitido por entidades espirituais individualizadas — o que o Absoluto não é — intermediárias existentes fora do plano Absoluto, as quais possuam força e poder, para agir no campo da criação universal.

Assim, quando o pensamento divino é manifestado pelo Verbo, ele se plasma na matéria fundamental[4], pela força da mesma enunciação, dando nascimento à forma, à criação visível, aparencial.

Sem o Verbo não há essa criação, porque ela, não se concretizando na forma, é como se não existisse; permaneceria como pensamento divino irrevelado, no campo da existência abstrata.

Ora, para a criação da Terra o Verbo foi e é o Cristo.

Paulo, em sua epístola aos Efésios, 3:9, diz: "Deus, por Jesus Cristo, criou todas as coisas."

E João Evangelista muito bem esclareceu:

"No princípio era o Verbo, e o Verbo estava com Deus e o Verbo era Deus." (Jo, 1:1)

Todas as coisas foram feitas por Ele, e sem Ele, nada do que foi feito se fez." (Jo, 1:3)

Por isso é que o Divino Mestre disse:

"Eu sou o caminho, a verdade e a vida; ninguém vai ao Pai senão por mim." (Jo, 14:6)

---

[4] Ver *O Livro dos Espíritos*, Allan Kardec, pergs. 27 e 27-a. (Nota da Editora)

Assim, pois, formam-se os mundos, seres e coisas, tudo pela força do Verbo, que traduz o pensamento criador, segundo as leis que esse mesmo pensamento encerra.

Noutras palavras:

O Absoluto, pelo pensamento, cria a vida e as leis, e entidades espirituais do plano divino, pela força do Verbo, plasmam a criação na matéria, dão forma e estrutura a todas as coisas e seres e presidem sua evolução na Eternidade.

Na gênese cósmica no que se refere à Terra, a ação do Verbo traduziu o pensamento criador, a seu tempo, na constituição de uma forma globular fluídica emanada do Sol central que veio situar-se, no devido ponto do sistema planetário, como novo recurso de manifestações de vida para seres em evolução.

Circundando a Terra formou-se uma camada fluídica, de teor mais elevado, destinada a servir-lhe de limitação e proteção, como também de matriz astral para a elaboração das formas vivas destinadas a evoluir nesse mundo em formação.

Nessa camada se continham os germes dos seres, conforme foram concebidos pelos Espíritos Criadores das Formas, representando tipos-padrões, fluidicamente plasmados para futuros desenvolvimentos.

E, com o tempo, progredindo a condensação da forma globular, segundo as leis que regem a criação universal, os gases internos emanados do núcleo central subiam à periferia do conjunto, onde eram contidos pela camada protetora, e daí, condensados pelo resfriamento natural, caíam novamente sobre o núcleo, em forma líquida, trazendo, contudo, em suas malhas (se assim podemos dizer) os germes de vida ali existentes.

Esses germes, assim veiculados, espalharam-se pela superfície do globo em formação, aguardando oportunidade de desenvolvimento; e quando, após inúmeras repetições desse processo de intercâmbio, a periferia do globo ofereceu, finalmente, condições favoráveis de consistência, umidade e temperatura, nela surgiu a matéria orgânica primordial — o protoplasma — que permitiu a eclosão da vida, com a proliferação dos germes já existentes, bem como espíritos humanos em condições primárias involutivas — mônadas — aptas ao início da trabalhosa escalada evolutiva na matéria, e outros germes que, segundo a cronologia dos reinos, deveriam, no futuro, também manifestar-se.

——>»«<——

Os seres vivos da Terra, com as formas que lhes foram atribuídas pelo Verbo e seus Prepostos, apareceram no globo há centenas de milhões de anos; primeiro nas águas, depois na terra; primeiro os vegetais, depois os animais, todos evoluindo até seus tipos mais aperfeiçoados.

Segundo pesquisas e conclusões da ciência oficial, a Terra tem dois bilhões de anos de existência, tendo vivido um bilhão de anos em processo de ebulição e resfriamento, após o que e, somente então, surgiram os primeiros seres dotados de vida.

Até Louis Pasteur (1822-1895), químico e biólogo francês, a opinião firme dos cientistas sobre a origem dos seres, era a teoria da geração espontânea, segundo a qual os seres nascem espontânea e exclusivamente de substâncias materiais naturais como, por exemplo, larvas e micróbios nascendo de elementos em decomposição.

Com as pesquisas e conclusões deste eminente sábio francês o conhecimento se modificou e ficou provado que os germes nascem uns dos outros, não tendo valor científico a suposição da geração espontânea, conquanto o problema continuava ainda de pé em relação ao primeiro ser, do qual os demais se geraram.

Em 1935 o bioquímico americano Wendell Meredith Stanley (1904-1971) isolou um micróbio incomparavelmente mais primitivo que qualquer dos demais conhecidos até então, e que se reproduzia, mesmo depois de submetido ao processo de cristalização. Como, até então, nenhum ser vivo pudera ser cristalizado e continuar a viver, daí se concluiu que o ser em questão era um intermediário entre a matéria inerte e a matéria animada pela vida; admitiram os pesquisadores que esse fato veio preencher a grande lacuna existente entre os seres vivos mais atrasados e as mais complexas substâncias orgânicas inanimadas como, por exemplo, as proteínas.

Esse ser seria então, academicamente falando, o ponto de partida para as gerações dos seres vivos existentes na Terra, os quais, há um bilhão e meio de anos, vêm evoluindo sem cessar, aperfeiçoando as espécies e suas atividades específicas.

Nesses primórdios da evolução humana, e no ápice do reino animal, estavam os símios, muito parecidos com os homens, porém, ainda animais, sem aquilo que, justamente, distingue o homem do animal, a saber: a inteligência.

Deste ponto em diante, por mais que investigasse, a ciência não conseguiu localizar um tipo intermediário de transição, bem definido entre o animal e o homem.

Descobriu fósseis de outros reinos e pôde classificá-los, mas nada obteve sobre o tipo de transição para o homem; todo o esforço se reduziu na exumação de dois ou três crânios encontrados algures, que foram aceitos, a título precário, como pertencentes a esse tipo desconhecido e misterioso a que nos estamos referindo.

Realmente, em várias partes do mundo, foram descobertos restos de seres que, após exames acurados, foram aceitos como pertencentes a antepassados do homem atual.

Segundo a ciência oficial, quando o clima da Terra se amenizou, em princípios do Mioceno[5] (uma das quatro grandes divisões da Era Terciária, isto é, o período geológico que antecedeu o atual) e os antigos bosques tropicais começaram a ceder lugar aos prados verdes, os antigos seres vivos que moravam nas árvores foram descendo para o chão, e aqueles que aprenderam a caminhar erguidos formaram a estirpe da qual descende o homem atual.

Entre estes últimos (que conseguiram erguer-se) prevaleceu um tipo, que foi chamado Procônsul, mais

---

[5] Para melhor visualização deste e de outros períodos geológicos, favor consultar a Fig. 7 do Apêndice, com datas e informações atualizadas de acordo com as informações científicas mais recentes. (Nota da Editora)

ou menos há 25 milhões de anos, o qual era positivamente um símio.

E os tipos foram evoluindo até que, mais ou menos há um milhão e meio de anos, surgiram as espécies mais aproximadas do tipo humano.

Realmente, na Ásia, na África e na Europa foram descobertos esqueletos de antropoides (macacos semelhantes ao homem) não identificados.

Nas camadas do Pleistoceno[6] inferior, também chamado Paleolítico (período antigo da Era da Pedra Lascada) e no Neolítico (Era da Pedra Polida) vieram à luz instrumentos, objetos e restos de dentes, ossos e chifres, cada vez mais bem trabalhados.

Em 1807 surgiu em Heidelberg (Alemanha) um maxilar inferior um tanto diferente dos tipos antropoides; até que finalmente surgiram esqueletos inteiros desses seres, permitindo melhores exames e conclusões.

Primeiramente surgiram criaturas do tamanho de um homem, que andavam de pé, tinham cérebro pouco desenvolvido as quais foram chamadas Pitecantropo, ou Homem de Java, que viveram entre 550 e 200 mil anos atrás. Em seguida surgiu o Sinantropo, ou Homem de Pequim, de cérebro também muito precário.

Mais tarde surgiram tipos de cérebro mais evoluídos que viveram de 150 a 35 mil anos atrás e foram chamados de Homens do Rio Solo (Polinésia); de Florisbad (África do Sul); da Rodésia (África) e o mais generalizado de todos, chamado Homem de Neandertal (Alemanha),

---

[6] O Pleistoceno corresponde ao começo da Era Quaternária, tempos chamados pré-históricos.

cujos restos, em seguida, foram também encontrados nos outros continentes.

Como possuíam cérebro bem maior foram chamados "Homo Sapiens", conquanto tivessem ainda muitos sinais de deficiências em relação à fala, à associação de ideias e à memória.

O Neandertal foi descoberto em camadas do Pleistoceno médio mas, logo depois, no Pleistoceno superior surgiram esqueletos de corpo inteiro e de atitude vertical, como, por exemplo, o tipo negroide de Grimaldi, o tipo branco do Cro-Magnon (pertencente à Quarta Raça, Atlante) e o tipo Chancelade.

E por fim foram descobertos os tipos já bem desenvolvidos chamados Homens de Swanscombe (Inglaterra), o de Kanjera (África) o de Fontéchevade (França), todos classificados como "Homo Sapiens sapiens", isto é, "homens verdadeiros".

Ainda hoje existem na Rodésia (África) tipos semelhantes ao Neandertal, que levam vida bestial e possuem crânio dolicocéfalo[7] (ovalado) com diâmetro transversal menor que o diâmetro longitudinal.

Estes tipos, estudados e classificados pela ciência, conquanto tenham servido de base para suas investigações e conclusões, não valem todavia como prova da existência do tipo de transição.

Na realidade, a ciência ignora a data e o local do aparecimento do verdadeiro tipo humano, como também ignora qual o primeiro ser que pode ser considerado como tal.

---

[7] Dolicocéfalo = tipo humano cuja largura de crânio tem quatro quintos do seu comprimento (cf. Novo Dicionário Aurélio, Nova Fronteira). (Nota da Editora)

O elo, portanto, entre o tipo animal mais evoluído e o homem primitivo, se perde entre o Pitecantropo, que era bestial, e o Homo Sapiens que veio 400 mil anos mais tarde.

—➤➤◄◄—

Em resumo, eis a evolução do tipo humano (Fig. 2, pág. 41):

— Símios ou primatas;

— Tipo evoluído de primata — Procônsul — 25 milhões de anos.

— Homo Erectus — Pitecantropo e Sinantropo — 500 mil anos.

— Homo Sapiens — Solo, Rodésia, Florisbad, Neandertal[8] — 150 mil anos.

— Homo Sapiens sapiens — Swanscombe, Kanjera, Fontéchevade, Cro-Magnon e Chancelade — 35 mil anos.

—➤➤◄◄—

É bem de ver que se houvesse existido esse tipo intermediário, inúmeros documentos fósseis dessa espécie existiriam, como existem de todos os outros seres vivos, e, assim, como houve e ainda há inúmeros símios, representantes do ponto mais alto da evolução dessa classe de seres, também haveria os tipos correspondentes, intermediários entre uns e outros.

---

[8] Nos anos 90, exames de DNA provaram que o Neandertal é uma ramificação separada da espécie humana, embora seja evidentemente uma evolução dos símios primitivos. Veja também informações atualizadas de datas, para as espécies, na Fig. 8 do Apêndice. (Nota da Editora)

Se a ciência, até hoje, não descobriu esses tipos intermediários é porque eles realmente **não existiram na Terra**: foram plasmados em outros planos de vida, onde os Prepostos do Senhor realizaram a sublime operação de acrescentar ao tipo animal mais perfeito e evoluído de sua classe os atributos humanos que, por si sós — conquanto aparente e inicialmente invisíveis — dariam ao animal condições de vida enormemente diferentes e possibilidades evolutivas impossíveis de existirem no reino animal, cujos tipos se restringem e se limitam em si mesmos.

Sobre assunto de tão delicado aspecto ouçamos o que diz o instrutor Emmanuel, em comunicação recebida, em 1937, pelo médium Francisco Cândido Xavier e que transcrevemos *in leteris*:

"Amigos, que a paz de Jesus descanse sobre vossos corações.

Segundo estudos que pude efetivar em companhia de elevados mentores da espiritualidade, posso dizer-vos francamente que todas as formas vivas da natureza estão possuídas de princípios espirituais. E princípios que evoluem da alma fragmentária até à racionalidade do homem. A razão, a consciência, "a noção de si mesmo" constituem na individualidade a súmula de muitas lutas e de muitas dores, em favor da evolução anímica e psíquica dos seres.

O processo, portanto, da evolução anímica se verifica através de vidas cuja multiplicidade não podemos imaginar, nas nossas condições de personalidades relativas, vidas essas que não se circunscrevem ao reino homi-

*nal, mas que representam o **transunto das mais várias atividades em todos os reinos da natureza.***

Todos aqueles que estudaram os princípios de inteligência dos considerados absolutamente irracionais, grandes benefícios produziram, no objetivo de esclarecer esses sublimes problemas, do drama infinito do nosso progresso pessoal.

O princípio inteligente, para alcançar as cumeadas da racionalidade, teve de experimentar estágios outros de existência nos planos de vida. Os protozoários são embriões de homens, como os selvagens das regiões ainda incultas são os embriões dos seres angélicos. O homem, para atingir o complexo de suas perfeições biológicas na Terra, teve o concurso de Espíritos exilados de um mundo melhor para o orbe terráqueo, Espíritos esses que se convencionou chamar de componentes da raça adâmica, que foram em tempos remotíssimos desterrados para as sombras e para as regiões selvagens da Terra, porquanto a evolução espiritual do mundo em que viviam não mais a tolerava, em virtude de suas reincidências no mal. O vosso mundo era então povoado pelos tipos do "Primata hominus", dentro das eras da caverna e do sílex, e essas legiões de homens singulares, pelo seu assombroso e incrível aspecto, se aproximavam bastante do "Pithecanthropus erectus", estudado pelas vossas ciências modernas como um dos respeitáveis ancestrais da humanidade.

Foram, portanto, as entidades espirituais a que me referi que, por misericórdia divina e em razão das novas necessidades evolutivas do planeta, imprimiram um novo fator de organização às raças primigênias, dotando-as de* novas combinações biológicas, objetivando o aperfeiçoamento do organismo humano.

Os animais são os irmãos inferiores dos homens. Eles também, como nós, vêm de longe, através de lutas incessantes e redentoras e são, como nós, candidatos a uma posição brilhante na espiritualidade. Não é em vão que sofrem nas fainas benditas da dedicação e da renúncia, em favor do progresso dos homens.

Seus labores, penosamente efetivados, terão um prêmio que é o da evolução na espiritualidade gloriosa. Eles, na sua condição de **almas fragmentárias** no terreno da compreensão, têm todo um exército de protetores dos planos do Alto, objetivando a sua melhoria e o amplo desenvolvimento de seu progresso, em demanda do reino hominal.

Em se desprendendo do invólucro material, encontram imediatamente entidades abnegadas que os encaminham na senda evolutiva, de maneira que a sua marcha não encontre embaraços quaisquer que os impossibilitem de progredir, como se torna necessário, operando-se sem perda de tempo a sua reencarnação.

Qual a forma animal que se acha mais vizinha do homem?

O macaco, tão carinhosamente estudado por Darwin nas suas cogitações filosóficas e científicas, é um parente próximo das criaturas humanas, **falando-se fisicamente**, com seus pronunciados laivos de inteligência; mas a promoção do princípio espiritual do animal à racionalidade humana **se processa fora da Terra**, dentro de condições e aspectos que não posso vos descrever, dada a ausência de elementos analógicos para as minhas comparações.

E que Jesus nos inspire, esclarecendo as nossas mentes em face de todas as grandiosidades das leis divinas, imperantes na Criação."

Assim, pois, quando essa operação transformadora se consumou fora da Terra, no astral planetário ou em algum mundo vizinho, estava *ipso facto* criada a raça humana, com todas as suas características e atributos iniciais, a Primeira Raça-Mãe, que a tradição espiritual oriental definiu da seguinte maneira: "espíritos ainda inconscientes, habitando corpos fluídicos, pouco consistentes".

Fig. 2* - Tipos do Paleolítico – Evolução do Homem

*(Fonte: *História da Civilização Ocidental*, E. M. Burns, Edit. Globo, 2ª ed.)

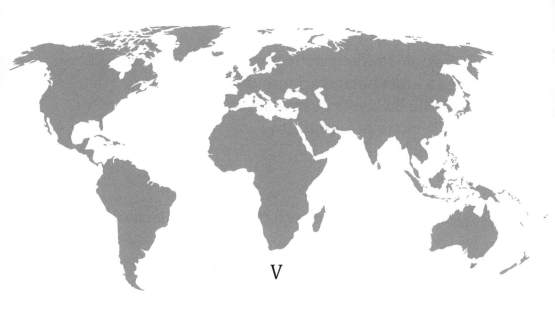

V
AS ENCARNAÇÕES NA SEGUNDA RAÇA

Quando cessou o trabalho de integração de espíritos animalizados nesses corpos fluídicos e terminaram sua evolução, aliás muito rápida, nessa raça-padrão, o planeta se encontrava nos fins de seu terceiro período geológico e já oferecia condições de vida favoráveis para seres humanos encarnados; já de há muito seus elementos materiais estavam estabilizados e o cenário foi julgado apto a receber o "rei da criação".

Iniciou-se, então, essa encarnação nos homens primitivos formadores da Segunda Raça-Mãe, que a tradição esotérica também registrou com as seguintes características:

— "espíritos habitando formas mais consistentes, já possuidores de mais lucidez e personalidade", porém ainda não fisicamente humanos.

Iniciou-se com estes espíritos um estágio de adaptação na crosta planetária tendo como teatro o grande continente da Lemúria. Esta segunda raça deve ser considerada como **pré-adâmica**.

-->>><<<--

Estava-se nos albores do período quaternário.

Os homens dessa Segunda Raça em quase nada se distinguiam dos seus antecessores símios; eram grotescos, animalizados, inteiramente peludos, enormes cabeças pendentes para a frente, braços longos que quase tocavam os joelhos; ferozes, de andar trôpego e vacilante e em cujo olhar, inexpressivo e esquivo, predominavam a desconfiança e o medo.

Alimentavam-se de frutos e raízes; viviam isolados, escondidos nas matas e nas rochas, fugindo uns dos outros, vendo nas feras que os rodeavam por toda parte seres semelhantes a eles mesmos, e procriando-se instintivamente, sem preocupação de estabelecerem entre si laços de afeto ou de intimidade permanente. Quem olhasse então o mundo não diria que ele já era habitado por seres humanos.

Essa Segunda Raça evoluiu por muitos milênios, dando tempo a que se procedesse a necessária adaptação ao meio ambiente até que, por fim, com o desabrochar lento e custoso da inteligência, surgiu entre seus componentes o desejo de vida comum que, nessa primeira etapa evolutiva, era visceralmente brutal e violento.

Os ímpetos do sexo nasceram de forma terrivelmente bárbara e os homens saíam furtivamente de seus antros escuros para se apoderarem pela força de companheiras inconscientes e indefesas, com as quais geravam filhos que se criavam por si mesmos, ao redor do núcleo familiar, como feras.

Com o correr do tempo, entretanto, essa proliferação desordenada e o agrupamento forçado de seres do mesmo sangue, obrigaram os homens a procurar habitações mais amplas e cômodas, que encontraram em grutas e cavernas naturais, nas bases das colinas ou nas anfractuosidades das montanhas.

Sua inteligência ainda não bastava para a idealização de construções mais apropriadas e assim surgiram os trogloditas da Idade da Pedra, em cujos olhos, porém, já a esse tempo, luziam os primeiros fulgores do entendimento e cujos corações já de alguma forma se abrandavam ao calor dos primeiros sentimentos humanos.

Eis como eles foram vistos pelo espírito de João, o Evangelista, em comunicação dada na Espanha, nos fins do século passado.[9]

— *"Adão ainda não tinha vindo.*

Porque eu via um homem, dois homens, muitos homens e no meio deles não via Adão e nenhum deles conhecia Adão.

Eram os homens primitivos, esses que meu espírito absorto, contemplava.

Era o primeiro dia da humanidade; porém, que humanidade, meu Deus!...

Era também o primeiro dia do sentimento, da vontade e da luz; mas de um sentimento que apenas se diferen-

---

[9] *Roma e o Evangelho*, José Amigó y Pellicer, FEB. Comunicação nº 28.

çava da sensação, de uma vontade que apenas desvanecia as sombras do instinto.

Primeiro que tudo o homem procurou o que comer; após, procurou uma companheira, juntou-se com ela e tiveram filhos.

Meu espírito não via o homem do Paraíso; via muito menos que o homem, coisa pouco mais que um animal superior.

Seus olhos não refletiam a luz da inteligência; sua fronte desaparecia sob o cabelo áspero e rijo da cabeça; sua boca, desmesuradamente aberta, prolongava-se para diante; suas mãos pareciam com os pés e frequentemente tinham o emprego destes; uma pele pilosa e rija cobria as suas carnes duras e secas, que não dissimulavam a fealdade do esqueleto.

Oh! Se tivésseis visto, como eu, o homem do primeiro dia, com seus braços magros e esquálidos caídos ao longo do corpo e com suas grandes mãos pendidas até os joelhos, vosso espírito teria fechado os olhos para não ver e procuraria o sono para esquecer.

Seu comer era como devorar; bebia abaixando a cabeça e submergindo os grossos lábios nas águas; seu andar era pesado e vacilante como se a vontade não interviesse; seus olhos vagavam sem expressão pelos objetos, como se a visão não se refletisse em sua alma; e seu amor e seu ódio, que nasciam de suas necessidades satisfeitas ou contrariadas, eram passageiros como as impressões que se estampavam em seu espírito e grosseiros como as necessidades em que tinham sua origem.

O homem primitivo falava, porém não como o homem: alguns sons guturais, acompanhados de gestos, os precisos para responder às suas necessidades mais urgentes.

Fugia da sociedade e buscava a solidão; ocultava-se da luz e procurava indolentemente nas trevas a satisfação de suas exigências naturais.

Era escravo do mais grosseiro egoísmo; não procurava alimento senão para si; chamava a companheira em épocas determinadas, quando eram mais imperiosos os desejos da carne e, satisfeito o apetite, retraía-se de novo à solidão sem mais cuidar da prole.

O homem primitivo nunca ria; nunca seus olhos derramavam lágrimas; o seu prazer era um grito e a sua dor era um gemido.

O pensar fatigava-o; fugia do pensamento como da luz."

E mais adiante acrescenta:

— *"E nesses homens brutos do primeiro dia o predomínio orgânico gerou a força muscular; e a vontade subjugada pela carne gerou o abuso da força; dos estímulos da carne nasceu o amor; do abuso da força nasceu o ódio, e a luz, agindo sobre o amor e sobre o tempo, gerou as sociedades primitivas.*

A família existe pela carne; a sociedade existe pela força.

Moravam as famílias à vista de todos, protegiam-se, criavam rebanhos, levantavam tendas sobre troncos e depois caminhavam sobre a terra.

O homem mais forte é o senhor da tribo; a tribo mais poderosa é o lobo das outras.

As tribos errantes, como o furacão, marcham para diante e, como gafanhotos, assaltam a terra onde pousam seus enxames."

Assim, como bem deixa ver o Evangelista, no final de sua comunicação, com o correr dos tempos as famílias foram se unindo, formando tribos, se amalgamando, cruzando tipos, elegendo chefes e elaborando as primeiras regras de vida em comum, que visavam preferentemente às necessidades materiais da subsistência e da procriação.

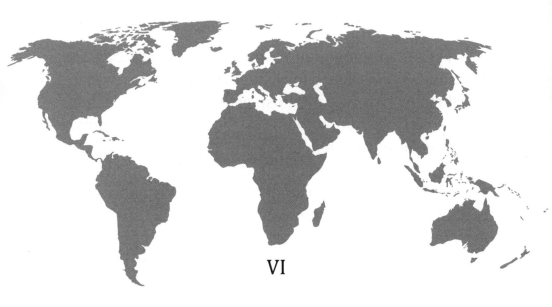

VI

A TERCEIRA RAÇA-MÃE

Estava-se no período em que a ciência oficial denomina — Era da Pedra Lascada — em que o engenho humano, para seu uso e defesa, se utilizava do sílex, como arma primitiva e tosca.

Nessa época, em pleno quaternário, por efeito de causas pouco conhecidas, ocorreu um resfriamento súbito da atmosfera, formando-se geleiras, que cobriam toda a Terra.

O homem, que mal ainda se adaptava ao ambiente planetário, temeroso e hostil, teve então seus sofrimentos agravados com a necessidade vital de defender-se do frio intenso que então sobreveio, cobrindo-se de peles de animais subjugados em lutas temerárias e desiguais, em que lançava mão de armas rudimentares e insuficientes contra feras e monstros terríveis que o rodeavam por toda parte.

Foi então que o seu instinto e as inspirações dos Assistentes Invisíveis o levaram à descoberta providencial do fogo, o novo e precioso elemento de vida e defesa, que abriu à humanidade torturada de então novos recursos de sobrevivência e de conforto.

Entretanto, tempos mais tarde, as alternativas da evolução física do globo determinaram acentuado aquecimento geral, que provocou súbito degelo e terríveis inundações, fenômeno esse que, na tradição pré-histórica, ficou conhecido como o **dilúvio universal**, atribuído a um desvio do eixo do globo que se obliquou e provocado pela aproximação de um astro, que determinou também alterações na sua órbita, que se tornou, então, mais fechada.

⋙⋘

Mas o tempo transcorreu em sua inexorável marcha e o homem, a poder de sofrimentos indizíveis e penosíssimas experiências de toda a sorte, conseguiu superar as dificuldades dessa época tormentosa.

Acentuou-se, em consequência, o progresso da vida humana no orbe, surgindo as primeiras tribos de gerações mais aperfeiçoadas, que formaram a humanidade da Terceira Raça-Mãe, composta de homens de porte agigantado, cabeça mais bem conformada e mais ereta, braços mais curtos e pernas mais longas, que caminhavam com mais aprumo e segurança, em cujos olhos se vislumbravam mais acentuados lampejos de entendimento.

Nasceram principalmente na Lemúria e na Ásia e suas características etnográficas, mormente no que respeita à cor da pele, cabelos e feições do rosto, variavam muito, segundo a alimentação, os costumes, e o ambiente físico das regiões em que habitavam.

Eram nômades; mantinham-se em lutas constantes entre si e mais que nunca predominavam entre eles a força e a violência, a lei do mais forte prevalecendo para a solução de todos os casos, problemas ou divergências que entre eles surgissem.

Todavia, formavam já sociedades mais estáveis e numerosas, do ponto de vista tribal, sobre as quais dominavam, sob o caráter de chefes ou patriarcas, aqueles que fisicamente houvessem conseguido vencer todas as resistências e afastar toda a concorrência.

Do ponto de vista espiritual ou religioso essas tribos eram ainda absolutamente ignorantes e já de alguma forma fetichistas, pois adoravam, por temor ou superstição instintiva, fenômenos que não compreendiam e imagens grotescas representativas tanto de suas próprias paixões e impulsos nativos, como de forças maléficas ou benéficas que ao seu redor se manifestavam perturbadoramente.

Da mesma comunicação de João Evangelista, a que já nos referimos, transcrevemos aqui mais os seguintes e evocativos períodos:

— *"Depois do primeiro dia da humanidade, o corpo do homem aparece menos feio, menos repugnante à contemplação de minha alma.*

Sua fronte começa a debuxar-se na parte superior do rosto, quando o vento açoita e levanta as ásperas melenas que a cobrem.

Os seus olhos são mais vivos e transparentes; o seu nariz é mais afilado e levantado e a sua boca é menos proeminente.

Seus braços são menos longos e esquálidos, suas carnes menos secas, suas mãos menos volumosas e com dedos mais prolongados; os ossos do esqueleto mais arredondados, mais bem dispostos aos movimentos das articulações; maior elasticidade existe nos músculos e mais transparência na pele que cobre todo o corpo.

No seu olhar se reflete o primeiro raio de luz intelectual, como um primeiro despertar do seu espírito adormecido.

No seu caminhar, já menos lerdo e vacilante, adivinha-se a ação inicial da vontade, o princípio das manifestações espontâneas.

Procura a mulher e não mais a abandona; assiste-lhe no nascimento dos filhos, com quem reparte o calor e o alimento.

O sentimento começa a despertar-lhe."

—>»«<—

A humanidade, nessa ocasião, estava então num ponto em que uma ajuda exterior era necessária e urgente, não só para consolidar os poucos e laboriosos passos já palmilhados como, principalmente, para dar-lhe diretrizes mais seguras e mais amplas no sentido evolutivo.

Em nenhuma época da vida humana tem-lhe faltado o auxílio do Alto que, quase sempre, se realiza pela descida de Emissários autorizados. O problema da Terra, porém, naqueles tempos, exigia para sua solução, medidas mais amplas e mais completas que, aliás, não tardaram a ser tomadas pelas entidades espirituais responsáveis pelo progresso planetário, como veremos em seguida.

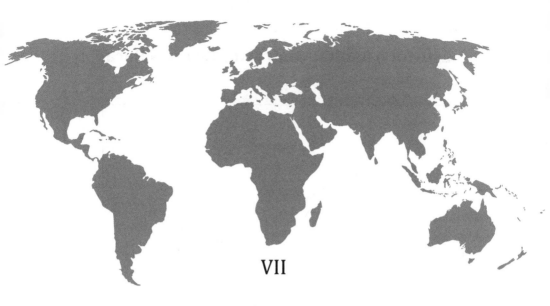

VII

COMO ERA, ENTÃO, O MUNDO

O panorama geográfico da Terra, nessa época, era o seguinte (vide mapa, Fig. 3, pág. 56):

ORIENTE
a) O grande continente da Lemúria que se estendia das alturas da Ilha de Madagascar para o leste e para o sul, cobrindo toda a região ocupada hoje pelo Oceano Índico, descendo até a Austrália e incluindo a Polinésia.

b) A região central da Ásia, limitada ao sul pelo Himalaia e que se estendia para leste, Pacífico adentro; para oeste terminava num grande mar, que subia de sul para norte, passando pelas regiões hoje ocupadas pelo Indostão, Beluchistão, Pérsia e Tartária e terminando na região subártica.[10]

---
[10] Divisão geopolítica da Terra, no início do séc. XX.

Este foi o hábitat central da Terceira Raça.

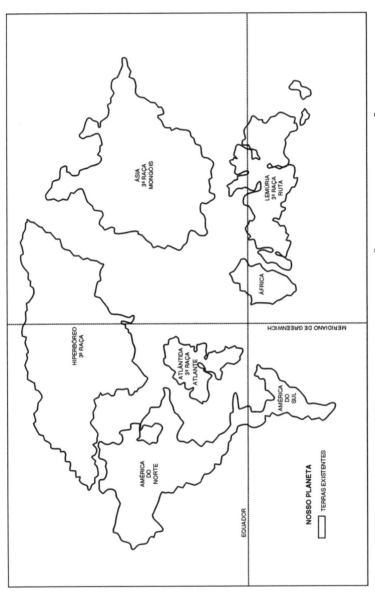

FIG. 3 - TERRAS PRIMITIVAS COM A FORMAÇÃO DA TERCEIRA RAÇA-MÃE

OCIDENTE

c) O continente formado pela Grande Atlântida, que se desenvolvia de sul a norte sobre a região hoje ocupada pelo Oceano Atlântico, que lhe herdou o nome.

d) A parte superior da América do Norte, que formava então dois braços dirigidos um para Oriente, na direção da atual Groenlândia, e outro para Ocidente, prolongando-se pelo Oceano Pacífico, na direção da Ásia.

Nestas duas regiões se estabeleceram, mais tarde, os povos da Quarta Raça.

e) Ao norte um continente ártico, denominado Hiperbóreo, que cobria toda a região do Polo Norte, mais ou menos até a altura do paralelo 80, sobre todo o território Europeu.[11]

Esta foi a região habitada, mais tarde, pelos formadores da Quinta Raça, os Árias.

Além destes cinco continentes, a tradição consigna a existência do chamado "Primeiro Continente", Terra Sagrada, "Terra dos Deuses": que "era o berço do primeiro Adão, a habitação do último mortal divino, escolhido como uma sede para a humanidade, devendo presidir à semente da futura humanidade".

Como se vê, trata-se da própria Capela que, após a descida dos Exilados, passou a ser considerada como uma região ligada à Terra, um prolongamento desta por

---

[11] Os continentes ártico e antártico suportam 90% de todo o gelo existente na Terra.

Estudos de paleontologia feitos por expedições científicas demonstram que verdadeiras florestas cobriam essas regiões no passado e se encontram agora enterradas em camadas profundas de 4 a 2000 metros no gelo e provam que há milhares de anos essas regiões eram de clima temperado, perfeitamente habitáveis.

ser a própria pátria, o paraíso momentaneamente perdido e para aonde deveriam voltar ao fim de seu exílio.

— ⇒≫≪⇐ —

Esses continentes a que nos referimos eram então habitados pelos homens da Terceira Raça, que assim se distribuíam:

— Na Lemúria — os Rutas, homens de pela escura.

— Na Ásia — os Mongóis, de pele amarelada.

— Na Atlântida — os Atlantes, de pele avermelhada, (os primitivos), que serviram de semente à Quarta Raça.

Sem embargo dessas diferenças de cor as demais características biológicas já descritas prevaleciam, mais ou menos uniformemente, para todos os indivíduos dessa Terceira Raça, em todos os lugares.

VIII

A SENTENÇA DIVINA

Ia em meio o ciclo evolutivo da Terceira Raça[12], cujo núcleo mais importante e numeroso se situava na Lemúria, quando, nas esferas espirituais, foi considerada a situação da Terra e resolvida a imigração para ela de populações de outros orbes mais adiantados, para que o homem planetário pudesse receber um poderoso estímulo e uma ajuda direta na sua árdua luta pela conquista da própria espiritualidade.

A escolha, como já dissemos, recaiu nos habitantes da Capela.

Eis como Emmanuel, o espírito de superior hierarquia, tão estreitamente vinculado, agora, ao movimento espiritual da Pátria do Evangelho, inicia a narrativa desse impressionante acontecimento:

---

[12] Esses ciclos são muito longos no tempo, pois incluem a evolução milenar de todas as respectivas sub-raças.

"Há muitos milênios, um dos orbes do Cocheiro, que guarda muitas afinidades com o globo terrestre, atingira a culminância de um dos seus extraordinários ciclos evolutivos...

Alguns milhões de espíritos rebeldes lá existiam, no caminho da evolução geral, dificultando a consolidação das penosas conquistas daqueles povos cheios de piedade e de virtudes..."[13]

E, após outras considerações, acrescenta:

— "As Grandes Comunidades Espirituais, diretoras do Cosmo, deliberaram, então, localizar aquelas entidades pertinazes no crime, aqui na Terra longínqua."

Dá-nos, pois, assim, Emmanuel, com estas revelações de tão singular natureza, as premissas preciosas de conhecimentos espirituais transcendentes, relativos à vida planetária — conhecimentos estes já de alguma forma focalizados pelo Codificador[14] — que abrem perspectivas novas e muito dilatadas à compreensão de acontecimentos históricos que, de outra forma — como, aliás, com muitos outros tem sucedido — permaneceriam na obscuridade ou, na melhor das hipóteses, não passariam de lendas.

Aliás, essa permuta de populações entre orbes afins de um mesmo sistema sideral, e mesmo de sistemas diferentes, ocorre periodicamente, sucedendo sempre a expurgos de caráter seletivo, como também é fenômeno que se enquadra nas leis gerais da justiça e da sabedoria divinas, porque vem permitir reajustamentos oportu-

---

[13] *A Caminho da Luz*, cap. III. (Nota da Editora)
[14] *A Gênese*, Allan Kardec, cap. XI.

nos, retomadas de equilíbrio, harmonia e continuidade de avanços evolutivos para as comunidades de espíritos habitantes dos diferentes mundos.

Por outro lado, é a misericórdia divina que se manifesta, possibilitando a reciprocidade do auxílio, a permuta de ajuda e de conforto, o exercício, enfim, da fraternidade para todos os seres da criação.

Os escolhidos, neste caso, foram os habitantes da Capela que, como já foi dito, deviam dali ser expurgados por terem se tornado incompatíveis com os altos padrões de vida moral já atingidos pela evoluída humanidade daquele orbe.

Resolvida, pois, a transferência, os milhares de espíritos atingidos pela irrecorrível decisão foram notificados do seu novo destino e da necessidade de sua reencarnação em planeta inferior.

Reunidos no plano etéreo daquele orbe, foram postos na presença do Divino Mestre para receberem o estímulo da Esperança e a palavra da Promessa, que lhes serviriam de consolação e de amparo nas trevas dos sofrimentos físicos e morais, que lhes estavam reservados por séculos.

Grandioso e comovedor foi, então, o espetáculo daquelas turbas de condenados, que colhiam os frutos dolorosos de seus desvarios, segundo a lei imutável da eterna justiça.

Eis como Emmanuel, no seu estilo severo e eloquente, descreve a cena:

— "Foi assim que Jesus recebeu, à luz do seu reino de amor e de justiça, aquela turba de seres sofredores e infelizes.

Com a sua palavra sábia e compassiva exortou aquelas almas desventuradas à edificação da consciência pelo cumprimento dos deveres de solidariedade e de amor, no esforço regenerador de si mesmas.

Mostrou-lhes os campos de lutas que se desdobravam na Terra, envolvendo-as no halo bendito de sua misericórdia e de sua caridade sem limites.

Abençoou-lhes as lágrimas santificadoras, fazendo-lhes sentir os sagrados triunfos do futuro e prometendo-lhes a sua colaboração cotidiana e a sua vinda no porvir.

Aqueles seres desolados e aflitos, que deixavam atrás de si todo um mundo de afetos, não obstante os seus corações empedernidos na prática do mal, seriam degredados na face obscura do planeta terrestre; andariam desprezados na noite dos milênios da saudade e da amargura, reencarnar-se-iam no seio das raças ignorantes e primitivas, a lembrarem o paraíso perdido nos firmamentos distantes.

Por muitos séculos não veriam a suave luz da Capela, mas trabalhariam na Terra acariciados por Jesus e confortados na sua imensa misericórdia."

E assim a decisão irrevogável se cumpriu e os exilados, fechados seus olhos para os esplendores da vida feliz no seu mundo, foram arrojados na queda tormentosa, para de novo somente abri-los nas sombras escuras, de sofrimento e de morte, do novo "hábitat" planetário.

Foram as coortes de Lúcifer que, avassaladas pelo orgulho e pela maldade, se precipitaram dos céus à terra, que daí por diante passou a ser-lhes a morada purgatorial por tempo indefinido.

E após a queda, conduzidos por entidades amorosas, auxiliares do Divino Pastor, foram os degredados reunidos no etéreo terrestre e agasalhados em uma colônia espiritual, acima da crosta, onde, durante algum tempo, permaneceriam em trabalhos de preparação e de adaptação para a futura vida a iniciar-se no novo ambiente planetário.[15]

---

[15] Não confundir esse estágio pré-encarnativo dos capelinos com o período astral, preparatório, dos espíritos formadores da 1ª Raça-Mãe, que a Teosofia, (para nós, erroneamente) denominara raça adâmica.

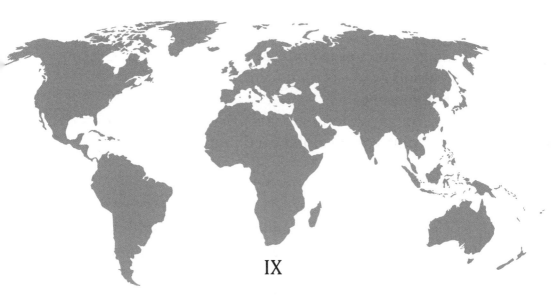

IX

AS REENCARNAÇÕES PUNITIVAS

A esse tempo, os Prepostos do Senhor haviam conseguido selecionar, em várias partes do globo, e no seio dos vários povos que o habitavam, núcleos distintos e apurados de homens primitivos em cujos corpos, já biologicamente aperfeiçoados, devia iniciar-se a reencarnação dos capelinos.

Esses núcleos estavam localizados no Oriente, no planalto do Pamir, no centro norte da Ásia e na Lemúria, e no Ocidente entre os primitivos atlantes, e, entre todos, os chineses (mongóis) eram os mais adiantados como confirma Emmanuel, quando diz:

— "Quando se verificou a chegada das almas proscritas da Capela, em épocas remotíssimas, já a existência chinesa contava com uma organização regular, oferecendo os tipos mais homogêneos e mais selecionados do planeta, em face dos remanescentes humanos primitivos.

Suas tradições já andavam, de geração em geração, construindo as obras do porvir."[16]

E acrescenta:

— "Inegavelmente o mais prístino foco de todos os surtos evolutivos do globo é a China milenária."[17]

—>>><<—

Os capelinos, pois, que já estavam reunidos, como vimos, no etéreo terrestre, aguardando o momento propício, começaram, então, a encarnar nos grupos selecionados a que já nos referimos, predominantemente nos do planalto do Pamir, que apresentavam as mais aperfeiçoadas condições biológicas e etnográficas, como sejam: pele mais clara, cabelos mais lisos, rostos de traços mais regulares, porte físico mais desempenado e elegante.

A respeito dessa miscigenação, a narrativa de Emmanuel, se bem que de um ponto de vista mais geral não deixa, contudo, de ser esclarecedora.

Diz ele:

— "Aquelas almas aflitas e atormentadas, encarnaram-se proporcionalmente nas regiões mais importantes, onde se haviam localizado as tribos e famílias primitivas, descendentes dos primatas.

E com a sua reencarnação no mundo terreno estabeleciam-se fatores definitivos na história etnológica dos seres."[18]

---

[16] *A Caminho da Luz*, cap. VIII. (Nota da Editora)

[17] Para a ciência oficial a civilização chinesa não vai além de 300 anos antes de nossa era, mas suas tradições fazem-na remontar a mais de 100 mil anos. A civilização chinesa, entretanto, veio da Atlântida primitiva — vide o Cap. XV — o que demonstra ser muito anterior até mesmo a esta última data.

[18] *A Caminho da Luz*, cap. III. (Nota da Editora)

Dessa forma, pois, é que se formaram nessas regiões os primeiros núcleos raciais da nova civilização em perspectiva que, dali, foram se espalhando, em sucessivos cruzamentos, por todo o globo, máxime no Oriente, onde habitava a Terceira Raça, em seus mais condensados agrupamentos.

Ouçamos, agora, novamente, o Evangelista descrever esse acontecimento, numa visão retrospectiva de impressionadora e poética beleza:

— *"Donde vieram esses homens, novos no meio dos homens?*

A Terra não lhes deu nascimento, porque eles nasceram antes de ela ser fecunda.

No meio dos homens antigos da Terra descubro homens novos, meninos, mulheres e varões robustos; donde vieram esses homens que nasceram antes da fecundidade da Terra?

Em cima e ao redor da Terra, rodopiam os céus e os infernos, como sementes de geração e de luz.

O vento sopra para onde o impulsa a mão que criou a sua força, e o espírito vai para aonde o chama o cumprimento da lei.

Os homens novos que descubro entre os homens antigos da Terra, os quais nasceram antes desta ser fecunda, vêm a ela em cumprimento de uma lei e de uma sentença divina.

Eles vêm de cima, pois vêm envoltos em luz e a sua luz é um farol para os que moram nas trevas da Terra.

Se, porém, seus olhos e suas frontes desprendem luz, nos semblantes eles trazem o estigma da maldição.

São árvores de pomposa folhagem, mas privadas de frutos, arrancadas e lançadas fora do paraíso, onde a misericórdia as havia colocado e donde as desterrou por algum tempo.

A sua cabeça é de ouro, as suas mãos de ferro e os seus pés de barro. Conheceram o bem, praticaram a violência e viveram para a carne.

A geração proscrita traz na fronte o selo da sentença, mas também tem o da promessa no coração.

Tinham pecado por sabedoria e orgulho e seu entendimento obscureceu-se. A obscuridade foi a sentença do entendimento ensoberbado, e a luz, a promessa da misericórdia que subsiste e subsistirá.

Bem-aventurados os que choram por causa das trevas e da condenação e cujos corações não edificam moradas nem levantam tendas.

Porque serão peregrinos no cárcere e renascerão para morar perpetuamente, de geração em geração, nos cimos onde não há trevas; porque recuperarão os dons da misericórdia na consumação."

→»《←

A descida dessa raça maior causou, como era natural, no que respeita à vida de seus habitantes primitivos, sensível modificação no ambiente terrestre que, ainda mal refeito das convulsões telúricas que assinalaram os primeiros tempos de sua formação geológica, continuava, entretanto, sujeito a profundas alterações e flutuações de ordem geral.

Como já dissemos, toda mudança de ciclo evolutivo acarreta profundas alterações, materiais e espirituais, nos orbes em que se dão; nos céus, na terra e nas águas há terríveis convulsões, deslocamentos, subversões de toda ordem com dolorosos sofrimentos para todos os seus habitantes.

Logo, após, os primeiros contatos que se deram com os seres primitivos e, reencarnados os capelinos nos tipos selecionados já referidos, verificou-se de pronto tamanha dessemelhança e contraste, material e intelectual, entre essas duas espécies de homens, que sentiram aqueles imediatamente a evidente e assombrosa superioridade dos ádvenas, que passaram logo a ser considerados super-homens, semideuses, Filhos de Deus, como diz a gênese mosaica, e, como é natural, a dominar e dirigir os terrícolas.

Formidável impulso, em consequência, foi então imprimido à incipiente civilização terrestre em todos os setores de suas atividades primitivas.

De trogloditas habitantes de cavernas e de tribos selvagens aglomeradas em palafitas, passaram, então, os homens, sob o impulso da nova direção, a construir cidades nos lugares altos, mais defensáveis e mais secos, em torno das quais as multidões aumentavam dia a dia.

Tribos nômades se reuniam aqui e ali, formando povos e nações, com territórios já agora mais ou menos delimitados e, com o correr do tempo, definiram-se as massas etnográficas com as diferenciações asseguradas pelas sucessivas e bem fundamentadas reproduções da espécie.

Adotaram-se costumes mais brandos e esboçaram-se os primeiros rudimentos das leis; os povos, que então saíam da Era da Pedra Polida, estabeleceram os fundamentos da indústria com a utilização, se bem que incipiente, dos metais; foi-se assegurando aos poucos a base de uma consciência coletiva e os homens, pelas experiências já sofridas e pelo crescente despertar da Razão, ainda que embrionária, iniciaram uma tentativa de organização social, em novo e mais promissor período de civilização.

Enfim, naquela paisagem primitiva e selvagem, que era realmente um cadinho combusto de forças em ebulição, definiram-se os primeiros fundamentos da vida espiritual planetária.

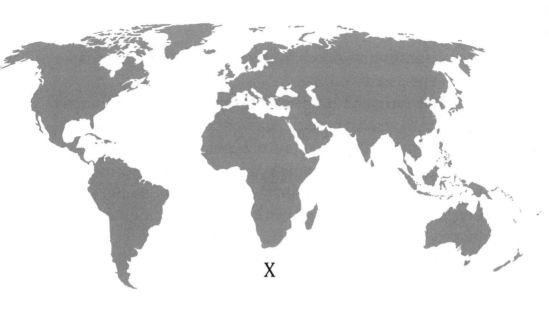

X

TRADIÇÕES ESPIRITUAIS DA DESCIDA

Nada existe, que saibamos, nos arquivos do conhecimento humano, que nos dê, desse fato remotíssimo e de tão visceral interesse, a saber: o da miscigenação de raças pertencentes a orbes siderais diferentes. Revelação tão clara e transcendente como essa que nos vem pelos emissários da Doutrina Espírita, tanto como consta, em seus primeiros anúncios, da Codificação Kardeciana e das comunicações subsequentes de espíritos autorizados, como agora desta narrativa impressionante de Emmanuel, que estamos a cada passo citando.

Realmente, perlustrando os anais da História, das Ciências, das Religiões e das Filosofias, vêmo-las inçadas de relatos, enunciados e afirmativas emitidos por indivíduos inspirados que impulsionaram, impeliram o pensamento humano, desde os albores do tempo e em todas as partes do mundo; conceitos, concepções que representam um colossal acervo de conhecimentos de toda espécie e natureza.

Mas em nenhum desses textos a cortina foi jamais levantada tão alto para deixar ver como esta humanidade se formou, no nascedouro, segundo as linhas espirituais da questão; o espírito humano, por isso mesmo, e por força dessa ignorância primária, foi-se deixando desviar por alegorias, absorver e fascinar por dogmas inaceitáveis, teorias e idealizações de toda sorte, muitas realmente não passando de fantasias extravagantes ou elocubrações cerebrais alucinadas.

Todavia, neste particular que nos interessa agora, nem tudo se perdeu da realidade e, buscando-se no fundo da trama, muitas vezes inextricável e quase sempre alegórica dessas tradições milenárias, descobrem-se aqui e ali filões reveladores das mais puras gemas que demonstram, não só a autenticidade como, também, a exatidão dos detalhes desses empolgantes acontecimentos históricos, que estão sendo trazidos a lume pelos mensageiros do Senhor, nos dias que correm.

Assim, compulsando-se a tradição religiosa dos hebreus, verifica-se que o Livro Apócrifo de Enoque diz, em certo trecho, Cap. 6:21:

— "Houve anjos, chamados Veladores, que se deixaram cair do céu para amar as Filhas da Terra."

"E quando os anjos — os Filhos do Céu — as viram, por elas se apaixonaram e disseram entre si: vamos escolher esposas da raça dos homens e procriemos filhos."

Então seu chefe Samyaza lhes disse:

"Talvez não tenhais coragem para efetivar esta resolução e eu ficarei sozinho responsável pela vossa queda."

Mas eles lhe responderam: "Juramos de não nos arrepender e de levar a efeito a nossa intenção."

E foram duzentos deles que desceram sobre a Montanha de Harmon. A partir de então, esta montanha foi denominada Harmon, que quer dizer "montanha do juramento".

Desses consórcios nasceram gigantes que oprimiram os homens.

Eis os nomes dos chefes desses anjos que desceram: Samya-za, que era o primeiro de todos, Urakbarameel, Azibeel, Tamiel, Ramuel, Danel, Amarazac, Azkeel, Saraknial, Azael, Armers, Batraal, Aname, Zaveleel, Samsaveel, Ertrael, Turel, Jomiael e Arasial.

"Eles tomaram esposas com as quais viveram, ensinando-lhes a magia, os encantamentos e a divisão das raízes e das árvores.

Amarazac ensinou todos os segredos dos encantamentos, Batraal foi o mestre dos que observam os astros, Azkeel revelou os signos e Azael revelou os movimentos da Lua."

Este livro de Enoque, anterior aos de Moisés é também muito citado pelos exegetas da antiguidade e pelo apóstolo Judas Tadeu em sua epístola, vers. 14, e dá, pois, testemunho deste acontecimento.

Enoque, no velho hebraico, significa iniciado.[19]

Falam dele Orígenes, Procópio, Tertuliano, Lactâncio, Justino, Irineu de Lião, Clemente de Alexandria e outros santos católicos.

---

[19] A tradição diz que escreveu uma cosmogonia conhecida como Livro de Enoque e acrescenta que era tão puro que Deus o fez subir aos céus com vida.

Os maniqueus o citavam a miúdo e Euzébio diz em sua obra intitulada: **Preparação do cristão no espírito do Evangelho** que Moisés, no Egito, aprendeu com esse livro de Enoque.

No século XVIII o explorador escocês Jaime Bruce (1730-1794) descobriu um exemplar dele na Abissínia, mais tarde traduzido para o inglês pelo arcebispo Lawrence.

Os etíopes — que são os medianitas da Bíblia — também dizem que Moisés abeberou-se nesse livro, que lhe fora ofertado por seu sogro, o sacerdote Jetro, e que dele se valeu para escrever a *Gênese*.

--->>><<<---

"Os Jubileus", outro livro muito antigo dos hebreus, acrescenta que os "Veladores" vieram à Terra para ensinar aos homens a vida perfeita, mas acabaram seduzidos pelas mulheres encarnadas.

Este livro, também conhecido como "A Pequena Bíblia", é considerado ainda mais antigo que o próprio Velho Testamento.

Na mesma tradição dos hebreus vemos que Moisés — o filho de Termútis e sacerdote do templo de Mênfis; que veio à Terra com a missão de fundar com esse povo escravo, após sua libertação, a religião monoteísta e a nação de Israel, para que, no seu seio (único então considerado preferível) descesse mais tarde ao planeta o Messias Redentor — também se referiu ao transcendente fato e o consignou na sua *Gênese* para que à posteridade fosse assegurado mais este testemunho de sua autenticidade.

Realmente, velado embora pela cortina da alegoria, lá está o acontecimento descrito, na primeira parte da narrativa, quando o profeta conta a criação do primeiro homem, sua queda e ulterior expulsão do paraíso do Éden; esse mesmo empolgante sucesso histórico, Emmanuel agora nos relata, quatro milênios após, de forma objetiva e quase minudente, conquanto cingindo-se unicamente ao aspecto espiritual do problema.

Pois ele mesmo adverte, referindo-se às finalidades de sua já citada obra:

— "Não deverá ser este um trabalho histórico. A história do mundo está compilada e feita.

Nossa contribuição será a tese religiosa elucidando a influência sagrada da fé e o ascendente espiritual no curso de todas as civilizações terrestres."[20]

No capítulo em que descreve os antepassados do homem e, pondo em evidência a significação simplesmente simbólica, mas autêntica, dos textos bíblicos, ele pergunta:

— "Onde está Adão, com a sua queda do paraíso?

Debalde nossos olhos procuram, aflitos, essas figuras legendárias com o propósito de localizá-las no espaço e no tempo.

Compreendemos, afinal, que Adão e Eva constituem uma lembrança dos espíritos degredados na paisagem obscura da Terra, como Caim e Abel são dois símbolos para a personalidade das criaturas."[21]

---

[20] *A Caminho da Luz*, Antelóquio. (Nota da Editora)
[21] *A Caminho da Luz*, cap. II. (Nota da Editora)

Sim. Realmente, Adão representa a queda dos espíritos capelinos neste mundo de expiação que é a Terra, onde o esforço verte lágrimas e sangue, como também no sagrado texto está predito:

— "Maldita é a Terra por causa de ti — disse o Senhor; com dor comerás dela todos os dias de tua vida...

Com o suor do teu rosto, comerás o pão até que te tornes à Terra." (Gn, 3:17-19)

Refere-se o texto aos capelinos, às sucessivas reencarnações que sofriam para resgate de suas culpas.

Se é verdade que os Filhos da Terra, no esforço de sua própria evolução, teriam de passar dificuldades e padecimentos, próprios dos passos iniciais do aprendizado moral, dúvidas também não restam de que a Terra, de alguma forma, foi maleficiada com a descida dos degredados, que para aqui trouxeram novos e mais pesados compromissos a resgatar e nos quais seriam envolvidos também os habitantes primitivos.

Compreendemos, pois, pelos textos citados, que as gerações de Adão formam as chamadas raças adâmicas (vindas da Capela), designação que o Esoterismo dá, segundo seus pontos de vista, aos espíritos que formaram a Primeira Raça-Mãe, na fase em que, não possuindo corpo, forma e vida, não podiam encarnar na crosta planetária, o que é muito diferente.

O Esoterismo adota esta suposição para poder explicar a vida da mônada espiritual na sua fase involutiva. Mas, como temos explicado[22], para nós essa fase

---

[22] Vide outras obras do Autor, como, por exemplo, *Caminhos do Espírito* (parte da coletânea *O Livre-arbítrio*), *Salmos*, entre outras. (Nota da Editora)

cessa no reino mineral e, a partir daí, a mônada começa a sua evolução, não no astral terreno, mas adstrita ou integrada, mais ou menos nos reinos inferiores: mineral, vegetal e animal.

Somente após terminar suas experiências neste último reino (animal), penetra a mônada no estágio preparatório do astral terreno, em trânsito para suas primeiras etapas no reino humanal.

Qualquer destas fases dura milênios.

Mas, retomando a narrativa e no entendimento iniciático, diremos que Caim e Abel — os dois primeiros filhos — são unicamente símbolos das tendências do caráter dessas legiões de emigrados, formadas, em parte, por espíritos rebeldes, violentos e orgulhosos e, em parte, por outros — ainda que criminosos — porém já mais pacificados, conformados e submissos à vontade do Senhor.

A corrente de Caim — mais numerosa — foi a que primeiro se encarnou, como já vimos, entre os povos da Terceira Raça; que mais depressa e mais facilmente vinculou-se com os Filhos da Terra — os habitantes primitivos — vindo a formar sem contestação a massa predominante dos habitantes do planeta, naquela época, e cujo caráter, dominador e violento, predomina até nossos dias, em muitos povos.

Como conta Moisés:

— "... e saiu Caim da face do Senhor e habitou na terra de Nod, da banda do Oriente do Éden. E conheceu Caim a sua mulher e ela concebeu e gerou Enoque; e ele edificou uma cidade..." (Gn, 4:16-17)

É fácil de ver que se Caim e Abel realmente tivessem existido como filhos primeiros do primeiro casal humano, não teria Caim encontrado mulher para com ela se casar, porque a Terra seria, então, desabitada. É, pois, evidente que os capelinos, ao chegar, já encontraram o mundo habitado por outros homens.

O texto significa que as primeiras legiões de exilados, saindo da presença do Senhor, em Capela, vieram à Terra encarnando-se primeiramente no Oriente (mesclando-se com as mulheres dos povos aí existentes), gerando descendentes e edificando cidades.

E dizendo: "da banda do oriente do Éden", confirma o conceito, porque é suposição corrente que o Éden da Bíblia — se bem que alegórico — referia-se a uma região situada na Ásia Menor, e o Oriente dessa região justamente fica para os lados da Lemúria e Ásia, onde habitavam os Rutas da Terceira Raça.

E quanto aos exilados da corrente de Abel, diz a *Gênese* na força do seu símbolo — que eles foram suprimidos logo no princípio — o que deixa entender que sua permanência na Terra foi curta.

-->>><<<--

Prosseguindo na enumeração das tradições referentes à descida dos exilados da Capela, verificamos que os babilônios antigos, conforme inscrições cuneiformes descobertas pela ciência em escavações situadas em Kuniunik, povoação da antiga Caldéia, somente reconheciam, como tendo existido à época do dilúvio, duas raças de homens, sendo uma, de pele escura que denominavam "os Adamis negros" e outra, de pele clara, que denominavam "os Sarkus", ambas tendo por antepassados **uma raça de deuses que desceram à Terra**, obedecendo a sete chefes, cada um dos quais orientava e conduzia uma massa de homens.

Acrescentavam essas inscrições que esses seres eram considerados "prisioneiros da carne", "deuses encarnados"; e terminavam afirmando que foi assim que se formaram as sete raças adâmicas primitivas.

Na tradição dos hindus, na parte revelada ao Ocidente por H. P. Blavatsky[23], lê-se que:

— "Pelo meio da evolução da Terceira Raça-Mãe, chamada a raça lemuriana, vieram à Terra seres pertencentes a uma outra cadeia planetária, muito mais avançada em sua evolução.

Esses membros de uma comunidade altamente evoluída, seres gloriosos aos quais seu aspecto brilhante valeu o título de "Filhos do Fogo", constituem uma ordem sublime entre os filhos de Manas.

---

[23] Em *A Doutrina Secreta*, Vol. III, Antropogênese, Edit. Pensamento. (Nota da Editora)

Eles tomaram sua habitação sobre a Terra como instrutores divinos da jovem humanidade."

E as mitologias?

E as lendas da pré-história?

Não se referem elas a uma Idade de Ouro, que a humanidade viveu, nos seus primeiros tempos, em plena felicidade?

E a deuses, semideuses e heróis dessa época, que realizaram grandes feitos e em seguida desapareceram?

Ora, como sabemos que a vida dos primeiros homens foi cheia de desconforto, temor e miséria, bem se pode, então, compreender que essa Idade de Ouro foi vivida fora da Terra por uma humanidade mais feliz, e não passa de uma reminiscência que os Exilados conservaram da vida espiritual superior que viveram no paraíso da Capela.

Os deuses, semideuses e heróis dessa época, que realizaram grandes feitos e em seguida desapareceram, permanecendo unicamente como uma lenda mitológica, quem são eles senão os próprios capelinos das primeiras encarnações que, como já vimos, em relação aos homens primitivos, rústicos e animalizados, podiam ser realmente considerados seres sobrenaturais?

E os heróis antigos que se revoltaram contra Zeus (o deus grego), para se apoderarem do céu, e foram arrojados ao Tártaro, não serão os mesmos espíritos refugados da Capela que lá no seu mundo se rebelaram e que, por isso, foram projetados na Terra?

Os heróis antigos, que se tornavam imortais e semideuses, não eram sempre filhos de deuses mitológicos e de mulheres encarnadas? Pois esses deuses são os capelinos que se ligaram às mulheres da Terra.

Plutarco escreveu: "que os heróis podiam subir, aperfeiçoando-se, ao grau de demônios (daemon, gênios, espíritos protetores) e até ao de deuses (espíritos superiores)."

O oráculo de Delfos, na Grécia, a miúdo, anunciava essas ascensões espirituais dos heróis gregos. Isso não deixa patente o conhecimento que tinham os antigos sobre as reencarnações, a evolução dos espíritos e o intercâmbio entre os mundos?

Uma lenda dos índios Pahute, da América do Norte, conta que o deus Himano disputou com outro e foi expulso do céu, tornando-se um gênio do Mal.

Lendas mexicanas falam de um deus — **soota** — que se rebelou contra o Ente Supremo e foi arrojado à Terra, como também de gênios gigantescos — os **kinanus** — que tentaram apoderar-se do Universo e foram eliminados.

Finalmente, uma lenda asteca conta que houve um tempo em que os deuses andavam pela Terra; que esta era, nessa época, um magnífico horto, pleno de flores e frutos...

Tudo isso, porventura, não são alusões evidentes e claras à descida dos capelinos e suas encarnações na Terra?

—>»«<—

Como bem se pode, então, ver, as tradições orientais e de outros povos antigos, inclusive dos hebreus, guardam notícias dos acontecimentos que estamos narrando e, em várias outras fontes do pensamento religioso dos antigos, poderíamos buscar novas confirmações, se não devêssemos, como é de nosso intento, nos restringir às de origem espírita, por serem as mais simples e acessíveis à massa comum dos leitores; e, também, porque este nosso trabalho não deve ter aspecto de obra de erudição, enredando-se em complexidades e mistérios de caráter religioso ou filosófico, mas, simplesmente, de crença em revelações espirituais, provindas de Espíritos autorizados, responsáveis pelo esclarecimento das mentes humanas neste século de libertação espiritual.

Como remate destas tradições, citamos agora a obra de Hilarion do Monte Nebo[24], membro categorizado da Fraternidade Essênia, contemporâneo e amigo de Jesus, investigador da pré-história, com revelações conhecidas por Moisés anteriormente, segundo as quais sobreviventes do segundo afundamento da Atlântida aportaram à costa do Mediterrâneo, a nordeste, nas faldas de uma cordilheira, onde formaram um pequeno

---

[24] *Harpas Eternas*, Vol. II, Cap. "As Escrituras do Patriarca Aldis", Editora Pensamento. (Nota da Editora)

aglomerado de colonização, no qual nasceu uma criança a que deram o nome de Abel.

Aquela região pertencia ao reino de Ethêa, futura Fenícia, governada pela Confederação Kobda, fraternidade de orientação sócio-espiritualista, que exercia incontestada hegemonia sobre grande parte do mundo então conhecido, e cuja sede fora transferida de Nengadá, no delta do Nilo, para um ponto entre os rios Eufrates e Tigre, na Mesopotâmia, e cujo nome era La Paz.

Transferido para La Paz, o jovem assimilou os conhecimentos científicos e religiosos da época, destacando-se pelas excepcionais virtudes morais e inteligência que possuía, as quais lhe permitiram ascender à direção geral dessa Fraternidade, prestando relevantes serviços e sacrificando-se, por fim, em benefício da paz dos povos que governava, ameaçada por um pretendente rebelde de nome Caino.

Abel, pelas suas virtudes e seu sacrifício, foi considerado um verdadeiro missionário divino, o 6º da série, entre Krisna, o 5º, e Moisés, o 7º, antecessores de Buda e de Jesus.

Seja como for, qualquer das tradições aqui citadas indica o encadeamento natural e lógico dos fatos e das civilizações sequentes e desfaz o Mito de Adão, primeiro homem, do qual Deus retirou uma costela para lhe dar uma companheira, quando a própria Bíblia relata que nesse tempo havia outras mulheres no mundo, com uma das quais, aliás, o próprio Caim fugiu para se casar...

Moisés, que conhecia a verdade, estabeleceu esse mito devido a ignorância e a imaturidade espiritual do povo que salvara da escravidão no Egito, com o qual deveria formar uma nação monoteísta.

São também absurdas e inaceitáveis as referências bíblicas sobre um Moisés sanguinário e contraditório, versão esta que, como se pode facilmente perceber, convinha à dominação religiosa do povo hebreu pelo clero do seu tempo.

Essa Fraternidade Kobda, formou uma civilização avançada, do ponto de vista espiritual, mas, com a morte de Abel, degenerou na instituição dos faraós arquipoderosos do Egito, dominadores e déspotas, que a seu tempo também degeneraram.

O mesmo ocorreu com os Flâmines, na Índia, sacerdotes de Krisna; com a morte deste missionário, continuaram a influir no meio ambiente, mas, degenerando no sentido religioso, concorreram a formar o regime de castas e poderes fracionados que até hoje existem.

É regra já firmada pela experiência que, após realizar a finalidade espiritual a que se propuseram, as organizações iniciáticas redentoras deveriam encerrar suas atividades, como fizeram os Essênios na Palestina, após a morte de Jesus; não deveriam fundir-se com a sociedade que decorresse de suas atividades missionárias, porque não poderiam conservar sua pureza e elevada condição.

Para se perpetuarem, teriam de aliar-se à nova ordem de coisas quase sempre com base na força, passando por cima das leis espirituais do amor universal que vieram estabelecer na Terra.

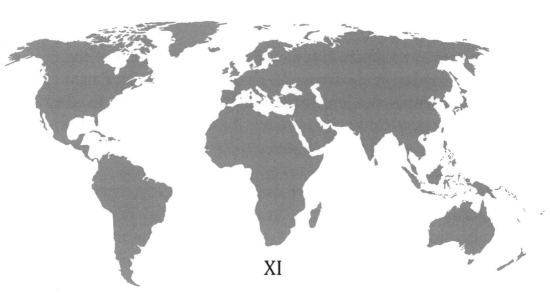

XI

GÊNESE MOSAICA

A *Gênese* é o primeiro livro, de uma série de cinco, por isso mesmo denominado Pentateuco, escrito por Moisés, em épocas diferentes da sua longa e trabalhosa peregrinação terrena.

Para muitos historiadores e exegetas, Moisés não escreveu pessoalmente estes cinco livros, mas somente o primeiro; seus ensinamentos, segundo dizem, foram deturpados e acomodados pelo sacerdócio hebreu, segundo suas conveniências de dominação religiosa, exatamente como aconteceu e ainda acontece com os ensinamentos de Jesus.

A *Gênese* trata da criação do mundo e dos primeiros acontecimentos; historia as primeiras gerações do povo hebreu e os fatos que com ele se deram até seu estabelecimento no Egito.

Quanto aos demais, a saber: *Êxodo, Levítico, Números* e o *Deuteronômio* narram os episódios da libertação do cativeiro egípcio, das marchas e acontecimentos que, a partir daí, se deram até a chegada à terra de Canaã, como também da legislação, dos ritos, das regras de administração e do culto, que o grande Enviado estabeleceu como norma e diretrizes para a vida social e religiosa desse povo.

Por essas obras se vê que Moisés, além de sua elevada condição espiritual, era, por todos os respeitos, uma personalidade notável, admirável condutor de homens, digno da tarefa planetária que lhe foi atribuída pelo Senhor; essas são as razões pelas quais a tradição mosaica merece toda fé, principalmente no que se refere à autenticidade dos acontecimentos históricos ou iniciáticos que revela.

Entretanto é necessário dizer que o *Gênese* possui, também, contraditores, no que se refere à sua autoria pois que, segundo uns, ao escrevê-lo, o profeta valeu-se de tradições correntes entre outros povos orientais como caldeus, persas e hindus, já existentes muito antes da época em que ele mesmo viveu.

Segundo outros, o profeta não copiou propriamente essas tradições, mas foram elas introduzidas no livro, em épocas diferentes, conforme ia evoluindo entre os próprios hebreus a concepção que faziam da divindade criadora, concepção essa que, cronologicamente, passou de "eloísta" (muitos deuses), para "javista" (mais de um deus) e desta para "jeovista" (um só deus).

Realmente, há muitas semelhanças em algumas dessas tradições, mormente no que se refere, por exemplo, ao dilúvio asiático, à criação do primeiro casal humano, etc.

Também não há dúvida que as interrupções, mudanças de estilo e as repetições observadas nos capítulos VII e VIII dão fundamento a essa suposição de duplicidade de autores.

Vejam-se, por exemplo, no Cap. VII, do *Gênese*, as repetições dos versículos 6 e 11, 7 e 13, 12 e 17, 21 e 23 e no cap. VIII, versículos 3 e 5.

Cap. VII

6 — "E era Noé da idade de seiscentos anos, quando o dilúvio das águas veio sobre a terra."

11 — "No ano seiscentos da vida de Noé, no mês segundo ... as janelas dos céus se abriram."

7 — "E entrou Noé e seus filhos, e sua mulher e as mulheres de seus filhos com ele na arca."

13 — "E no mesmo dia entrou Noé e Sem e Câm e Jafé, os filhos de Noé, como também a mulher de Noé e as três mulheres de seus filhos com ele na arca."

12 — "E houve chuva sobre a terra quarenta dias e quarenta noites."

17 — "E esteve o dilúvio quarenta dias sobre a terra e cresceram as águas..."

21 — "E expirou toda a carne que se movia sobre a terra, tanto de ave como de gado e de feras e de todo réptil que se roja sobre a terra e todo homem..."

23 — "Assim foi desfeita toda substância que havia sobre a face da terra, desde o homem até o animal, até o réptil, e até as aves do céu."

Cap. VIII

3 — "E as águas tornaram de sobre a terra continuamente e ao cabo de cento e cinquenta dias minguaram."

5 — "E foram as águas indo e minguando até o décimo mês..."

Como se vê destas ligeiras citações, as repetições com estilo e redação diferentes são sobejamente evidentes para se admitir que houve realmente, interpolações e acrescentamentos nestes textos.

Mas, como quer que seja, isto é, tenha o profeta copiado as tradições orientais (no que, aliás, não há nada a estranhar, porque as verdades não se inventam, mas, unicamente, se constatam e perpetuam) ou tenha o livro sido escrito em épocas diferentes, por acréscimos trazidos por outras gerações de interessados, de qualquer forma estas tradições são veneráveis, e a obra de Moisés, até hoje, nunca foi desmerecida, mas, ao contrário, cada dia ganha mais prestígio e autoridade, podendo nos oferecer valioso testemunho dos acontecimentos que estamos comentando.

Ultimamente tem surgido também documentação de caráter mediúnico, segundo a qual os ensinamentos verdadeiros do profeta, após sua morte no Monte Nebo, foram recolhidos por seu discípulo Essen e conservados religiosamente por seus continuadores — os essênios — nos diferentes santuários que possuíam na Palestina e na Síria, como sejam o do Monte Hermon, do Monte Carmelo, de Quarantana, do Monte Nebo e de Moab.

Mas, quanto à *Gênese* o testemunho da descida dos capelinos está ali bem claro e patente nos seus primeiros capítulos e, por isso, estamo-nos apoiando neles com perfeita confiança, como base remota de documentação histórico-religiosa.

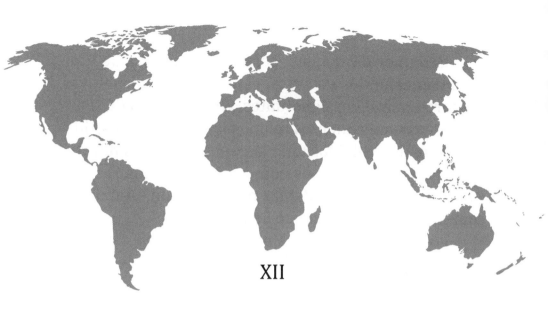

XII

SETH - O CAPELINO

Vimos, no capítulo dez, qual a significação simbólica dos primeiros filhos de Adão — Caim e Abel, e diremos agora que, do ponto de vista propriamente histórico ou cronológico, a descida dos exilados é representada na *Gênese* pelo nascimento de Seth — o terceiro filho — que Adão, como diz o texto: "gerou à sua semelhança, conforme sua imagem". (Gn, 5:3)

Assim, aquele que com ele mesmo, Adão, se confunde, é-lhe análogo.

Se Adão, no símbolo, representa o acontecimento da descida, a queda das legiões de emigrados, e os dois primeiros filhos, o caráter dessas legiões, Seth, no tempo, representa a época do acontecimento, época essa que no próprio texto está bem definida com o seguinte esclarecimento:

— "Os homens, então, começaram a evocar o nome do Senhor." (Gn, 4:26)

Isso quer dizer que a geração de Seth é a de espíritos não oriundos da Terra — os das raças primitivas, bárbaros, selvagens, ignorantes, virgens ainda de sentimentos e conhecimentos religiosos — mas outros, diferentes, mais evoluídos, que já conheciam seus deveres espirituais suas ligações com o céu; espíritos já conscientes de sua filiação divina, que já sabiam estabelecer comunhão espiritual com o Senhor.

Por tudo isso é que Moisés, como se vê no texto, desenvolve em primeiro lugar a genealogia de Caim e a interrompe logo para mostrar que ela não tem seguimento. De fato, nela só se refere a profissões, crimes e castigos, para deixar claro que só se trata de demonstrar o temperamento, a capacidade intelectual e o caráter moral dos indivíduos que já formaram a corrente de Caim das legiões de exilados, como já dissemos; ao passo que desenvolve em seguida a genealogia de Seth, a saber: a dos exilados em geral — enumerando-lhes as gerações até Noé e prosseguindo daí para diante sem interrupção, como a dizer que dessa linhagem de Seth é que se perpetuou o gênero humano, cumprindo-se, assim, a vontade do Senhor, quando disse: "frutificai e multiplicai e enchei a Terra." (Gn, 1:22)

A passagem referente a Noé daquela narrativa simboliza o juízo periódico de Deus, que, como já dissemos, ocorre em todos os períodos de transição, em todos os fins de ciclo evolutivo, a separação dos bodes e das ovelhas, o expurgo de gerações degeneradas, acontecimento espiritual a que o Divino Mestre também se referiu mais tarde, no Sermão do Monte, quando disse, em relação aos tempos vindouros, que são os nossos:

— "E quando o Filho do Homem vier na sua majestade e todos os santos anjos com ele, então se assentará no trono de sua glória: e todas as nações serão reunidas diante dele e apartará uns dos outros, como o pastor aparta dos bodes as ovelhas." (Mt, 25:31-32)

À humanidade daquela época tocou um acontecimento desses, com os cataclismos que então se verificaram, que mais para diante relataremos.

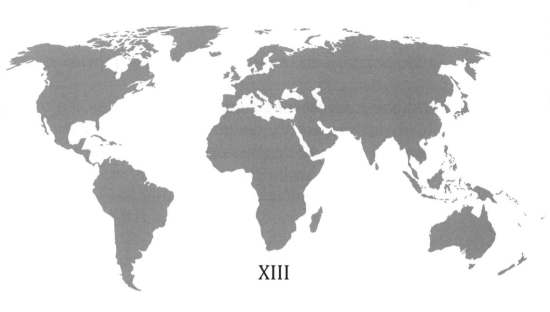

XIII

DA DESCIDA À CORRUPÇÃO

— "E aconteceu que, como os homens começaram a se multiplicar sobre a face da Terra e lhes nasceram filhas; viram os Filhos de Deus que as filhas dos homens eram formosas; e tomaram para si mulheres de todas as que escolheram." (Gn, 6:1-2)

Isto quer dizer que os degredados — aqui mencionados como Filhos de Deus — encarnando no seio de habitantes selvagens do planeta, não levaram em conta as melhores possibilidades que possuíam, como conhecedores de uma vida mais perfeita e, ao desposarem as mulheres primitivas, adotaram seus costumes desregrados e deixaram-se dominar pelos impulsos inferiores que lhes eram naturais.

Chegaram numa época em que as raças primitivas viviam mergulhadas nos instintos animalizados da carne e, sem se guardarem, afundaram na impureza, não resistindo ao império das leis naturais que se cumpriam irrevogavelmente como sempre sucede.

Já vimos que a encarnação dos capelinos se deu, em sua primeira fase e mais profundamente entre os Rutas, habitantes da Lemúria e demais regiões do Oriente, povos estes que apresentavam elevada estatura, cor escura, porte simiesco e mentalidade rudimentar.

Esses detalhes, mormente a compleição física, ficaram também assinalados na *Gênese*.

— "Havia naqueles dias gigantes na Terra; e também depois, quando os Filhos de Deus tiveram comércio com as filhas dos homens e delas geraram filhos."[25] (Gn, 6:4)

Este trecho da narrativa bíblica tem sido comentado por vários autores com fundo interesse, servindo mesmo a divagações de literatura fantasiosa que afirma ter havido naquela época um estranho conúbio entre seres celestes e terrestres, de cujo contato carnal nasceram gigantes e monstros.

Porém, como se vê, não se deu, nem teve o fato nenhum aspecto sobrenatural, pois gigantes haviam, conforme o próprio texto esclarece, tanto antes como depois que os capelinos — Filhos de Deus — encarnaram; nem podia ser de outra forma, considerando-se que eles encarnaram em tipos humanos já existentes, com as características biológicas que na época lhes eram próprias.

E é sabido que os tipos primitivos, de homens e animais, eram agigantados em relação aos tipos atuais.

Nada há que estranhar, porque nos tempos primitivos tudo era gigantesco: as plantas, os animais, os ho-

---

[25] Nephelim é o termo hebraico que os designa.

mens. Estes, principalmente, tinham que se adaptar ao meio agreste e hostil em que viviam e se defender das feras existentes e da inclemência da própria Natureza; por isso, deviam possuir estatura e força fora do comum.

Os Lemurianos e os Atlantes tinham estatura elevada e os homens do Cro-Magnon, que já estudamos, a julgar pelos esqueletos encontrados numa caverna perto do povoado do mesmo nome, na França, possuíam, em média, 1,83 m, ombros muito largos e braços muito curtos e fortes, bem menores que as pernas, o que prova serem já bem distanciados dos símios.

As construções pré-históricas, como os dólmens, menires, pirâmides etc. eram de dimensões e peso verdadeiramente extraordinários, e somente homens de muita desenvoltura física poderiam realizá-las e utilizá-las porque, na realidade, eram túmulos gigantescos para homens gigantescos, que ainda se encontram em várias partes do mundo e em todas as partes têm, mesmo, o nome de "túmulos de gigantes".

— ►►◄◄ —

Mas sigamos a narrativa bíblica no ponto em que ela se refere a essa mistura de raças de orbes diferentes:

— "Então, disse o Senhor, não contenderá o meu espírito para sempre com o homem; porque ele é carne; porém, os seus dias serão cento e vinte anos." (Gn, 6:3)

Isso nos leva a compreender que a fusão então estabelecida, o cruzamento verificado, foi tolerado pelo Senhor, sem embargo dos fatores de imoralidade que prevaleciam e isso porque os exilados, conquanto fossem espíritos mais evoluídos em relação aos habitantes terrestres, vindo agora habitar esse mundo primitivo onde as paixões, como já dissemos, imperavam livremente, não resistiram à tentação e se submeteram às condições ambientes; isso, aliás, não admira e era mesmo natural que acontecesse, não só pelo grande império que a carne exerce sobre o homem nos mundos inferiores, como também pelo fato de os exilados terem sido expulsos da Capela justamente por serem propensos ao mal, falíveis na moralidade.

Entretanto, mesmo tolerando, a justiça divina lhes criava limitações, restrições; as leis para eles inexoravelmente se cumpririam, fazendo com que colhessem os frutos dos próprios atos; suas vidas seriam mais curtas; seus corpos físicos definhariam, como quaisquer outros que abusem das paixões, e seriam pasto de moléstias dizimadoras.

Veja-se na própria Bíblia que para as primeiras gerações de homens após Seth (tempo da descida) e até Noé (dilúvio asiático) considerável é o número de anos atribuídos à existência humana, enquanto a delimitação de cento e vinte anos estabelecida para os **descendentes dos homens da corrupção** representa uma diminuição considerável, de quase dois terços.

Isso do ponto de vista físico, porque, quanto à moral, as consequências foram tremendas e lamentáveis: com o correr do tempo uma corrupção geral se alastrou e generalizou-se de tal forma que provocou punições imediatas.

É quando a narrativa bíblica diz:

— "E viu o Senhor que a maldade do homem se multiplicara sobre a terra e que toda a imaginação dos pensamentos do seu coração era má continuamente." (Gn, 6:5)

E mais adiante:

— "A terra estava corrompida diante da face do Senhor; encheu-se a terra de violência, porque toda a carne havia corrompido o seu caminho sobre a terra." (Gn, 6:11-12)

--->>><<<---

Assim, pois, a experiência punitiva dos capelinos, do ponto de vista moral, malograra, porque eles, ao invés de sanear o ambiente planetário, elevando-o a níveis mais altos, de acordo com o maior entendimento espiritual que possuíam, ao contrário, concorreram para generalizar as paixões inferiores, saturando o mundo de maldade e com a agravante de arrastarem na corrupção os infelizes habitantes primitivos, ingênuos e ignorantes, cuja tutela e aperfeiçoamento lhes couberam como tarefa redentora.

E, então, havendo se esgotado a tolerância divina, segundo as leis universais da justiça, sobrevieram as medidas reparadoras, para que a Terra fosse purificada e os espíritos culposos recolhessem, em suas próprias consciências, os dolorosos frutos de seus desvarios.

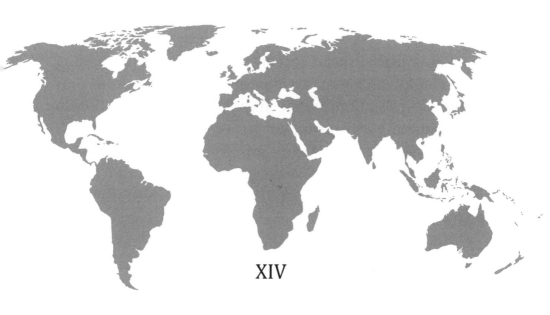

XIV

OS EXPURGOS REPARADORES

Em consequência, o vasto continente da Lemúria, núcleo central da Terceira Raça, afundou-se nas águas, levando para o fundo dos abismos milhões de seres rudes, vingativos, egoístas e animalizados.

Este continente, chamado na literatura indiana, antiga Shalmali Dvipa, compreendia o sul da África, Madagáscar, Ceilão, Sumatra, Oceano Índico, Austrália, Nova Zelândia e Polinésia, foi a primeira terra habitada pelo homem.

Sua atmosfera era ainda muito densa, e a crosta pouco sólida em alguns pontos. Segundo algumas tradições, o homem lemuriano ainda não possuía o sentido da visão como o possuímos hoje: havia nas órbitas somente duas manchas sensíveis, que eram afetadas pela luz, porém sua percepção interna, como é natural, era bastante desenvolvida.

Os lemurianos da Terceira Raça-Mãe eram homens que apenas iniciavam a vida em corpo físico neste planeta; não possuíam conhecimento algum sobre a vida material, pois utilizaram corpos etéreos nos planos espirituais donde provinham, com os quais estavam familiarizados. Desta forma, suas preocupações eram todas dirigidas para esta nova condição de vida, desconhecida e altamente objetiva.

Em suas escolas primárias os Instrutores desencarnados que os orientavam, se referiam às forças cósmicas que regem o Globo e fortemente os cativavam e surpreendiam, por serem forças de um astro ainda em fase de consolidação e cuja vida, portanto, era inóspita, perigosa; ensinavam, também, sobre fatos referentes à natureza física, às artes e ao desenvolvimento da vontade, da imaginação, da memória, por serem faculdades que desconheciam.

A maior parte da população vivia em condições primitivas, análogas às dos animais, e as formas físicas que acabavam de incorporar, facilmente degeneraram para a selvageria, muito mais rude e impiedosa que esta que ainda hoje presenciamos aqui na Terra junto às tribos primitivas de algumas regiões da Ásia, da Austrália e das ilhas do Pacífico Sul.

A Lemúria desapareceu 700 mil anos antes do alvorecer da Idade Terciária.

Sua existência, como muitas outras coisas reais, tem sido contestada e não é admitida pela ciência oficial, porém, ao mesmo tempo, essa ciência considera um mistério a existência de aborígines na Austrália, a imensa ilha ao sul do Oceano Índico, tão afastada de qualquer continente. Esses aborígines são até hoje inassimiláveis ante a civilização, extremamente primitivos e de cor escura como os próprios seres que habitavam a antiga Lemúria.

O território da Austrália apresenta aspectos e condições que a Terra teria tido em idades remotas, e os próprios animais são ainda semelhantes aos que viveram naqueles tempos.

Mas, assim como sucede em relação à Atlântida, a ciência, aos poucos, vai-se aproximando dos fatos e aceitando as revelações e as tradições do mundo espiritual, sobre as quais nenhuma dúvida deve persistir a respeito destes fatos.

Com este cataclismo grandes alterações se produziram na crosta terrestre:

1) completou-se o levantamento da Ásia;

2) as águas existentes a oeste desse continente refluíram para o norte e para o sul e em seu lugar se suspenderam novas terras formando:

a) A Europa

b) A Ásia Menor

c) A África em sua parte superior.

Ao centro e norte desta última região, formou-se um imenso lago que os antigos denominaram "Tritônio", que, mais tarde, como veremos adiante, foi substituído por desertos.

Desse cataclismo, todavia, milhares de Rutas se salvaram, ganhando as partes altas das montanhas que ficaram sobre as águas e passaram, então, a formar inumeráveis ilhas no Oceano Índico e no Pacífico, as quais ainda hoje permanecem, como também atingiram as costas meridionais da Ásia, que se levantaram das águas, e cujo território se lhes abria à frente, acolhedoramente, como também sucedeu em relação à atual Austrália.

Nessas novas regiões os sobreviventes se estabeleceram e se reproduziram formando povos semi-selvagens que, mais tarde, com o suceder dos tempos, foram dominados pelos Árias — os homens da Quinta Raça — quando estes invadiram a Pérsia e a Índia, vindos do Ocidente.

Os descendentes desses sobreviventes Rutas, mais tarde, na Índia, no regime de castas instituído pelo Bramanismo, constituíram a classe dos "Sudras" — os nascidos dos pés de Brama — parte dos quais veio a formar a casta desprezada dos párias, ainda hoje existente.

Outra leva de sobreviventes desse cataclismo ganhou as costas norte-africanas, emergidas das águas, passando aí a constituir vários povos, negros de pele luzidia, também até hoje existentes.

Após esses tremendos e dolorosos acontecimentos, os Prepostos do Senhor ultimaram novas experiências de cruzamentos humanos no Oriente, a fim de estabelecer novos tipos de transição para a formação de raças mais aperfeiçoadas, utilizando-se de novas gerações de emigrados que continuaram a encarnar nessas regiões.

Como diz Emmanuel:

— "Com o auxílio desses espíritos degredados naquelas eras remotíssimas, as falanges do Cristo operavam ainda as últimas experiências sobre os fluidos renovadores da vida, aperfeiçoando os caracteres biológicos das raças humanas."[26]

Formaram-se, assim, no planalto do Pamir, no centro da Ásia, os núcleos desses novos tipos que, em seguida, foram sendo impelidos para o sul, descendo através da Pérsia, da Caldéia e Palestina, de onde alcançaram em seguida o Egito; e por todos estes lugares foram estabelecendo bases avançadas de novas civilizações e novas raças humanas.

Sobre eles, diziam que eram deuses as inscrições cuneiformes babilônicas já citadas pois, realmente, em relação aos demais tipos existentes, mereciam tal designação.

---

[26] *A Caminho da Luz*, cap. III. (Nota da Editora)

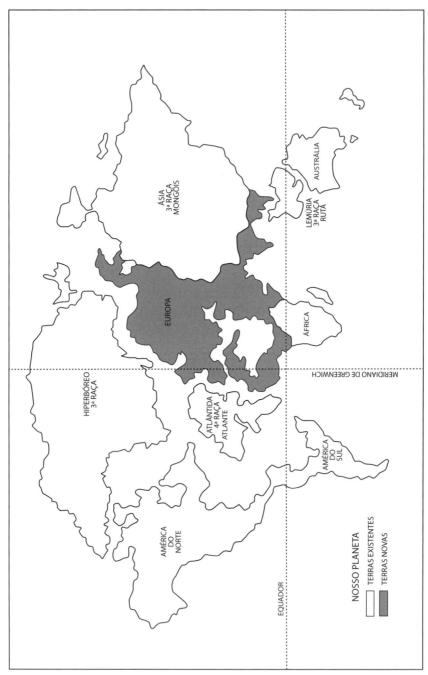

FIG. 4 - TERRAS PRIMITIVAS COM A FORMAÇÃO DA QUARTA RAÇA-MÃE

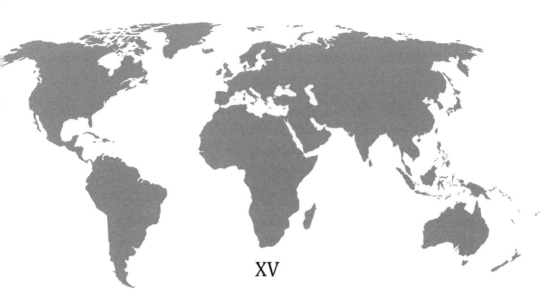

XV

NA ATLÂNTIDA, A QUARTA RAÇA

Extinta dessa forma, em sua grande massa, a Terceira Raça habitante do Oriente, levantou-se, então, no Ocidente, o campo da nova civilização terrestre, com o incremento das encarnações dos exilados na Grande Atlântida, o "hábitat" da Quarta Raça, onde prepostos do Cristo já haviam, antecipadamente, preparado o terreno para esses novos surtos de vida planetária.

Assim, pois, deslocava-se para essa nova região o progresso do mundo, enquanto os remanescentes da Terceira Raça, inclusive os tipos primitivos, continuariam a renascer nos povos retardados de todo o globo, os quais não pudessem acompanhar a marcha evolutiva da humanidade em geral, como até hoje se pode verificar.

E, da mesma forma como sucedera em outras partes, na Atlântida, os exilados, a partir dessa deslocação de massas, seguiram lentamente sua rota evolutiva e, apesar de mais evoluídos e menos selvagens que os rutas do Oriente, nem, por isso, primavam por uma conduta mais perfeita.

"Os atlantes primitivos da Quarta Raça-Mãe, que vieram em seguida, eram homens de elevada estatura, com a testa muito recuada; tinham cabelos soltos e negros, de seção redonda, e nisto diferiam dos homens que vieram mais tarde, que possuíam seção ovalada; suas orelhas eram situadas bem mais para trás e para cima, no crânio.

A cabeça do perispírito ainda estava um tanto para fora, em relação ao corpo físico, o que indicava que ainda não havia integração perfeita; na raiz do nariz havia um "ponto" que no homem atual corresponde à origem do corpo etéreo (não confundir com a glândula hipófise), que se situa muito mais para dentro da cabeça, na sela turca."

Esse "ponto" dos atlantes, separado como nos animais, nos homens atuais coincide no etéreo e no denso, perfeitamente integrados no conjunto psicofísico e essa separação dava aos atlantes uma capacidade singular de penetração nos mundos etéreos, e permitiu que desenvolvessem amplos poderes psíquicos que, por fim, degeneraram e levaram à destruição do continente.

Nos atlantes dos últimos tempos, entretanto, quando habitavam a Poseidônia, após os afundamentos anteriores, esses dois "pontos" já se haviam aproximado, dando a eles plena visão física e desenvolvimento dos sentidos.

Nesse continente a primeira sub-raça — romahals — possuía pouca percepção e pequeno desenvolvimento de sentimentos em geral, mas grandes possibilidades de distinguir e dar nome às coisas que viam e ao mesmo tempo agir sobre elas.

Foi a sub-raça que desenvolveu os rudimentos da linguagem e da memória, conhecimentos anteriormente esboçados e interrompidos na Lemúria por causa do afundamento desse continente, pelo mesmo motivo da degradação moral.

Das outras sub-raças, os travlatis desenvolveram a personalidade e o sentido da realeza e adoravam seus antepassados, chefes e dirigentes.

Os toltecas desenvolveram o animismo e o respeito aos pais e familiares. Iniciaram os governos organizados e adquiriram experiências sobre administração, bem como de nações separadas e de governos autônomos, formando, assim, os padrões, os modelos da civilização pré-histórica que chegam até ao nosso conhecimento atual.

Os atlantes eram homens fortes, alentados, de pele vermelha-escura ou amarela, imberbes, dinâmicos, altivos, e excessivamente orgulhosos.

Desde que se estabeleceram como povos constituídos, nesse vasto continente, iniciaram a construção de um poderoso império onde, sem demora, predominaram a rivalidade intestina e as ambições mais desmedidas de poderio e de dominação.

Por outro lado, desenvolveram faculdades psíquicas notáveis para a sua época, que passaram a aplicar aos serviços dessas ambições inglórias; e, de tal forma se desenvolveram suas dissensões, que foi necessário que ali descessem vários Missionários do Alto para intervir no sentido de harmonizar e dar diretrizes mais justas e construtivas às suas atividades sociais.

Segundo consta de algumas revelações mediúnicas, ali encarnou duas vezes, sob os nomes de Anfion e de Antúlio, o Cristo planetário, como já o tinha feito, anteriormente, na Lemúria, sob os nomes de Numu e Juno, e como o faria, mais tarde na Índia, como Krisna e Buda e na Palestina como Jesus.

Porém triunfaram as forças inferiores e a tal ponto se generalizaram os desentendimentos entre os diferentes povos, que se impôs a providência da separação de grandes massas humanas mormente entre[27]: a) romahals; b) turanianos; c) mongóis; d) travlatis, refluindo parte deles para o norte do continente de onde uma parte passou à Ásia, pela ponte ocidental do Alasca, localizando-se principalmente na China, e outra parte alcançou o Continente Hiperbóreo, situado, como já vimos, nas regiões árticas, ao norte da Europa, que nessa época apresentavam magníficas condições de vida para os seres humanos.

No seio da grande massa que permaneceu na Atlântida, formada pelas outras três sub-raças[28]: a) toltecas; b) semitas; e c) acádios[29], o tempo, no seu transcurso milenário, assinalou extraordinários progressos

---

[27] a) gigantes: vermelho-escuros;
  b) colonizadores: amarelos;
  c) agricultores: amarelos;
  d) montanheses: vermelho-escuros.

[28] a) administradores: vermelho-cobre;
  b) guerreiros: ...escuros;
  c) navegadores — comerciantes.

[29] Existiram com o nome de Acádia duas regiões distintas, a saber: uma na Nova Escócia (Canadá) e outra no Oriente Médio. (Nota da Editora)

no campo das atividades materiais, conquanto, seme-lhantemente ao que já sucedera no Oriente, as socieda-des desses povos tinham se deixado dominar pelos ins-tintos inferiores e pela prática de atos condenáveis, de orgulho e de violência.

Assim, então, lastimavelmente degeneraram, com-prometendo sua evolução.

Lavrou entre eles tão terrível corrupção psíquica que, como consequência, ocorreu novo e tremendo ca-taclismo: a Atlântida também submergiu.

Os arquivos da história humana não oferecem aos investigadores dos nossos dias documentação esclare-cedora e positiva desse acontecimento, como, aliás, tam-bém sucede e ainda mais acentuadamente, em relação à Lemúria; por isso é que esses fatos, tão importantes e interessantes para o conhecimento da vida planetária, estão capitulados no setor das lendas.

Mas, não obstante, existem indicações aceitáveis de sua autenticidade, que constam de uma extensa e curiosa bibliografia assinada por autores respeitáveis de todos os ramos da ciência oficial.

Como não temos espaço nesta obra para expor a questão detalhadamente, nem esse é o nosso escopo, por-que não desejamos sair do terreno espiritual, limitamo--nos unicamente a transcrever um documento referen-te à Atlântida, que reforça nossa desvaliosa exposição: é um manuscrito denominado "O Troiano", descoberto em escavações arqueológicas do país dos toltecas, ao sul do México e que se conserva, segundo sabemos, no "British Museum" de Londres.

Ele diz:

— "No ano 6 de Kan, em 11 Muluc, no mês de Zac, terríveis tremores de terra se produziram e continuaram sem interrupção até dia 13 de Chuem.

A região das Colinas de Argilas — o país de Mu — foi sacrificado.

Depois de sacudido por duas vezes desapareceu subitamente durante a noite.

O solo continuamente influenciado por forças vulcânicas subia e descia em vários lugares, até que cedeu.

As regiões foram, então, separadas umas das outras e, depois, dispersas.

Não tendo podido resistir às suas terríveis convulsões, elas afundaram, arrastando sessenta e quatro milhões de habitantes.

Isto passou-se 8.060 anos antes da composição deste livro".

O Codex Tolteca Tira (Livro das Migrações) menciona, entre outras, as migrações de oito tribos, que alcançaram as praias do Pacífico, vindas de uma terra situada a leste, chamada Astlan.

As lendas mexicanas falam de uma terrível catástrofe, de uma inundação tremenda que obrigou as tribos Nahoa e Quinché a emigrarem para o extremo sudoeste.

Nos velhos desenhos mexicanos a misteriosa pátria de origem dos toltecas e astecas, a terra Astlan, está representada por uma ilha montanhosa e uma dessas montanhas está cercada por uma muralha e um canal.

Os índios peles-vermelhas do Dakota, nos Estados Unidos, guardam uma lenda, segundo a qual seus antepassados habitavam uma ilha no Oriente, formando uma só nação e dali vieram, por mar, para a América.

Na Venezuela, Peru e outros lugares encontram-se índios brancos de olhos azuis, cabelos castanhos; e os Warsan, tribo Arovac, afirmam que seus antepassados moravam em um **paraíso terrestre**, no Oriente.

O Popul-vu, obra em quatro volumes que contém toda a mitologia dos Maias em idioma quiché, conta que os antepassados dessa tribo da Guatemala vieram, há muitíssimos anos, de um país situado muito a leste, em pleno oceano.

Havia nesse país um mesmo idioma e homens de diferentes cores, e nessa época o mundo foi afogado por um dilúvio, ao mesmo tempo que um fogo abrasador descia dos céus.

Enfim, há inúmeras outras referências entre as tribos da América sobre esse país, Astlan, e todas concordes em situá-lo no oceano, a leste, lugar justamente onde se localizava a Atlântida.

Essa narração do manuscrito troiano é corroborada pelas tradições maias, povos sobreviventes do fenômeno, que se referem a dois cataclismos ocorridos, um deles em 8452 a.C. e outro 4292 a.C., tradições essas que, como se vê, noticiam dois afundamentos parciais em vez de um, geral; em resumo: que o continente foi destruído em duas vezes e em duas épocas diferentes e bem afastadas uma da outra.

Disso se conclui que primeiramente afundou a Grande Atlântida, o continente primitivo (acontecimento descrito no Troiano) e 4.160 anos depois, submergiu por sua vez uma parte que restou do grande continente, que era na antiguidade conhecida por Pequena Atlântida (Poseidônis), região formada por uma ilha de larga extensão que se desenvolvia da costa norte da África à altura do atual Mar de Sargaços, em sentido leste-oeste.[30]

De fato, há muitas comprovações disso:

No fundo do Atlântico foram encontradas lavas vulcânicas cristalinas, cuja congelação era própria de agentes atmosféricos, dando a entender que o vulcão que as expeliu era terrestre e o esfriamento da lava se deu em terra e não no mar.

Estudos realizados no fundo desse oceano revelam a existência de uma grande cordilheira, começando na Irlanda e terminando mais ou menos à altura da foz do rio Amazonas, no Brasil, cuja elevação é quase três mil metros acima do nível médio do fundo do oceano.

——>≫≪<——

Os homens do Cro-Magnon eram do tipo atlante, muito diferentes de todos os demais, e só existiram na Europa ocidental na face fronteira ao continente desaparecido, mostrando que dali é que vieram.

O idioma dos bascos não tem afinidade com nenhum outro da Europa ou do Oriente e muito se aproxima dos idiomas dos americanos aborígines.

Os crânios dos Cro-Magnons são semelhantes aos crânios pré-históricos encontrados em Lagoa Santa, Minas Gerais (Brasil).

Há pirâmides semelhantes no Egito e no México, e a mumificação de cadáveres praticada no Egito antigo o era também no México e no Peru.

---

[30] Esta ilha, relíquia do grande continente primitivo, possuía dimensões continentais calculadas em 3.000 km x 1.800 km, o que dá 5.400.000 km², pouco mais da metade do Brasil, segundo sondagens feitas por cientistas europeus de alta capacidade.

Também se verificou que o fundo do Atlântico está lentamente se erguendo: a sondagem feita em 1923 revelou um erguimento de quatro quilômetros em 25 anos, o que concorda com as profecias que dizem que a Atlântida se reerguerá do mar para substituir continentes que serão, por sua vez, afundados, nos dias em que estamos vivendo.

Enfim, uma infinidade de indícios e circunstâncias asseveram firmemente a existência deste grande continente, onde viveu a Quarta Raça, entre a Europa e a América.

Estes dados, quanto às datas, não podem ser confirmados historicamente, porém, segundo a tradição espiritual, entre o afundamento da Lemúria e da Grande Atlântida houve um espaço de 700 mil anos.

--->>><<<--

O ciclo atlante foi o termo extremo da materialidade do "manvântara"[31], cujo arco descendente se completou sob a Quarta Sub-Raça. A terra firme parece ter chegado por esses tempos ao seu máximo de extensão, ostentando-se em vários continentes e uma infinidade de ilhas.

Ultimou-se o desenvolvimento das faculdades físicas do gênero humano, ao passo que o característico psicológico foi **o desejo**, cujo império entregou o homem, de pés e mãos atados, ao Gênio do Mal. A peçonha e o sabor do sangue estabeleceram, então, o seu reinado.

---

[31] "Manvântara", segundo a tradição bramânica, é um ciclo planetário, parte do período evolutivo que os "egos individuais" (centelhas divinas) devem percorrer rumo a perfeição. (Nota da Editora)

Os atlantes possuíam um profundo conhecimento das Leis da Natureza, mormente das que governam os três elementos, terra, água e ar. Eram, também, senhores de muitos segredos da metalurgia. As suas cidades eram ricas em ouro e alguns de seus palácios eram feitos desse metal. Suas sub-raças espalharam-se por todos os países do mundo de então. Cultivavam a magia negra e utilizavam-se grandemente dos elementais e de outros seres do submundo.

O apogeu da civilização atlante teve a duração de 70 mil anos e exerceu profunda influência na história e na religião de todos os povos pré-históricos que habitaram o Mediterrâneo e o Oriente Próximo.

Como as anteriores, esta raça-mãe teve, como já vimos, sete sub-raças; as quatro primeiras habitaram o continente até sua submersão e as três últimas habitaram a grande ilha Poseidônis. Os chineses, mongóis em geral, inclusive os javaneses, são na Ásia os remanescentes desses povos no seu período de natural decadência etnográfica.

Diz um "mahatma" do Himavat:

"Na idade eoceno, ainda no seu começo, o ciclo máximo dos homens da Quarta-Raça, os Atlantes, tinha chegado ao seu ponto culminante, e o grande continente, pai de quase todos os continentes atuais, mostrou os primeiros sintomas de mergulhar nas águas, processo que durou até há 11.446 anos, quando a sua última ilha, que podemos com propriedade chamar Poseidônis, abismou-se com estrondo.

Não se pode confundir Lemúria com Atlântida; ambos os continentes soçobraram, mas o período decorrido entre as duas catástrofes foi de cerca de 700 mil anos.

Floresceu a Lemúria e terminou a sua carreira no espaço de tempo que antecedeu a madrugada da idade eoceno, pois a sua raça foi a terceira. Contemplai as relíquias dessa nação, outrora tão grandiosa, em alguns dos aborígines de cabeça chata que habitam a vossa Austrália.

Lembrai-vos de que por baixo dos continentes explorados e escavados pelos cientistas, em cujas entranhas descobriram a idade eoceno, obrigando-a a entregar os seus segredos, podem jazer ocultos nos leitos oceânicos insondáveis outros continentes muito mais antigos. Assim por que não aceitar que os nossos continentes atuais, como também Lemúria e Atlântida, hajam sido submergidos já por diversas vezes, dando assento a novos grupos de humanidades e civilizações; que no primeiro grande solevamento geológico do próximo cataclismo (na série de cataclismos periódicos que ocorre desde o começo até o fim de cada circuito) os nossos atuais continentes submetidos já a autópsia hão de afundar-se, enquanto tornem a surgir outras Lemúrias e outras Atlântidas?"

Assim, como aconteceu antes com a Lemúria (Fig. 4, pág. 104), o afundamento da Atlântida trouxe, para a geografia do globo, novas e importantes modificações na distribuição das terras e das águas, a saber:

Com o afundamento da Grande Atlântida (Fig.5, pág. 118)

a) sobrelevou-se o território da futura América, que se rematou ao ocidente, no centro e no sul, com a cordilheira dos Andes;

b) completou-se o contorno desse continente na parte oriental;

c) permaneceram sobre as águas do oceano que então se formou, e conserva o mesmo nome do continente submergido — O Atlântico — algumas partes altas que hoje formam as ilhas de Cabo Verde, Açores, Canárias e outras;

d) na Europa levantou-se a cordilheira dos Alpes.

Com o afundamento da Pequena Atlântida (Fig. 6, pág. 119)

a) produziu-se novo levantamento na África, completando-se esse continente com a secagem do lago Tritônio e consequente formação do deserto do Saara, até hoje existente;

b) foi rompido o istmo de Gibraltar, formando-se o atual estreito do mesmo nome e o Mar Mediterrâneo.

Essa narrativa do Troiano e as tradições dos Maias, por outro lado, concordam com as tradições egípcias, reveladas a Sólon pelos sacerdotes de Saís, seiscentos anos antes da nossa era, as quais afirmam que a Atlântida submergiu 9.500 anos antes da época em que eles viviam.

Também concordam com a narrativa feita por Platão, em seus livros Timeu e Crítias, escrita quatro séculos antes de Cristo, na qual esse renomado discípulo de Sócrates, filósofo e iniciado grego que gozou na antiguidade de alto e merecido prestígio, confirma todas estas tradições.

Para o trabalho que estamos fazendo, considerada sua feição mais que tudo espiritual, basta-nos a tradição.

Por último, quanto aos habitantes sobreviventes desses dois cataclismos, resta dizer que parte se refugiou na América sobrelevada, vindo a formar os povos astecas, maias, incas e peles-vermelhas em geral, ainda hoje existentes; parte alcançou as costas norte-africanas, vindo a trazer novo contingente de progresso aos povos ali existentes, principalmente aos egípcios; e uma última parte, finalmente, a de importância mais considerável para a evolução espiritual do planeta, ganhou as costas do continente Hiperbóreo, para leste, onde já existiam colônias da mesma raça, para ali emigradas anteriormente, como já dissemos, e cujo destino será em seguida relatado.

Assim, com estes acontecimentos terríveis e dolorosos, extinguiu-se a Quarta Raça e abriu-se campo às atividades daquela que a sucedeu, que, sobre todas as demais, foi a mais importante e decisiva para a incipiente civilização do mundo.

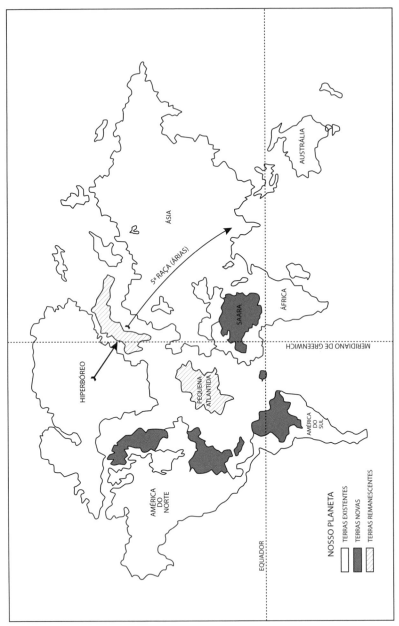

FIG. 5 - TERRAS PRIMITIVAS COM A FORMAÇÃO DA QUINTA RAÇA-MÃE

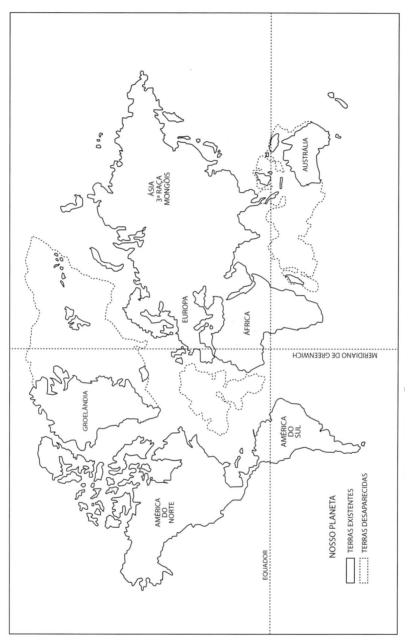

FIG. 6 - SITUAÇÃO ATUAL E TERRAS DESAPARECIDAS

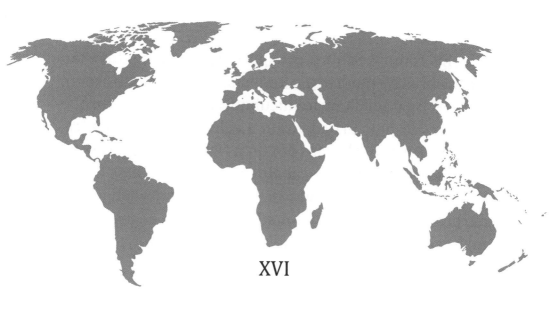

XVI

A QUINTA RAÇA

Com a chegada dos remanescentes da Atlântida, os povos Hiperbóreos ganharam forte impulso civilizador e, após várias transformações operadas no seu tipo fundamental biológico, por efeito do clima, dos costumes e dos cruzamentos com os tipos-base, já previamente selecionados pelos auxiliares do Cristo, conseguiram estabelecer os elementos etnográficos essenciais e definitivos do homem branco, de estatura elegante e magnífica, cabelos ruivos, olhos azuis, rosto de feições delicadas.

Nessa época, como tantas vezes sucedera no globo anteriormente, esse continente começou a sofrer um processo de intenso resfriamento que tornou toda a região inóspita, hostil à vida humana.

Por essa razão, os Hiperbóreos foram obrigados a emigrar em massa e quase repentinamente para o sul, invadindo o centro do planalto europeu, onde se procuraram estabelecer.

Eis como E. Schuré, o inspirado autor de tantas e tão belas obras de fundo espiritualista, descreve esse êxodo:

— "Se o sol da África incubou a raça negra, direi que os gelos do polo ártico viram a eclosão da raça branca. Estes são os Hiperbóreos dos quais fala a mitologia grega.

Esses homens de cabelos vermelhos, olhos azuis, vieram do norte, através de florestas iluminadas por auroras boreais, acompanhados de cães e de renas, comandados por chefes temerários e impulsionados por mulheres videntes.

Raça que deveria inventar o culto do sol[32] e do fogo sagrado e trazer para o mundo a nostalgia do céu, umas vezes se revoltando contra ele e tentando escalá-lo de assalto e outras se prosternando ante seus esplendores em uma adoração absoluta."

Como se vê, a Quinta Raça foi a última, no tempo, e a mais aperfeiçoada, que apareceu na Terra, como fruto natural de um longo processo evolutivo, superiormente orientado pelos Dirigentes Espirituais do planeta.

Ao se estabelecerem no centro da Europa os Hiperbóreos, logo a seguir e antes que pudessem definitivamente se fixar, foram defrontados pelos negros que subiam da África, sob a chefia de conquistadores violentos e aguerridos, que abrigavam suas hordas sob o estandarte do Touro, símbolo da força bruta e da violência.

Essas duas raças que assim se enfrentavam, representando civilizações diferentes e antagônicas, prepa-

---

[32] Culto primitivo de todos os povos da Atlântida, conservados pelos druidas (termo Celta que significa "de Deus" e "ruído que fala": intérprete de Deus, médium) e por outros, que vieram depois, inclusive persas e egípcios.

ravam-se para uma guerra implacável, uma carnificina inglória e estúpida, quando os poderes espirituais do Alto, visando mais que tudo preservar aqueles valiosos espécimes brancos, portadores de uma civilização mais avançada e tão laboriosamente selecionados, polarizaram suas forças em Rama, jovem sacerdote do seu culto — o primeiro dos grande enviados históricos do Divino Mestre — dando-lhe poderes para que debelasse uma terrível epidemia que lavrara no seu povo e adquirisse junto deste, enorme prestígio e respeito.

Assim, sobrepondo-se, mesmo, às sacerdotisas que exerciam completo predomínio religioso, Rama assumiu a direção efetiva do povo, levantou o estandarte do Cordeiro — símbolo da paz e da renúncia — e, no momento julgado oportuno, conduziu-o para os lados do Oriente, atravessando a Pérsia e invadindo a Índia, desalojando os Rutas primitivos e aí estabelecendo, sob o nome de Árias, os homens da gloriosa Quinta Raça.

Esses mesmos homens que, tempos mais tarde, se espalharam dominadoramente em várias direções, mas, notadamente para o Ocidente, conquistando novamente a Europa até as bordas do Mediterrâneo, nessas regiões plantaram os fundamentos de uma civilização mais avançada que todas as precedentes.

-➤➤◄◄◄-

Agora, podemos apresentar um esboço das cinco raças que viveram no mundo, antes e depois da chegada dos capelinos.

São as seguintes:

1ª) A raça formada por espíritos que viveram no astral terreno, que não possuíam corpos materiais, e, por isso, não encarnaram na Terra.
Característica fundamental: "astralidade".

2ª) A raça formada por espíritos já encarnados, que desenvolveram forma, corpo e vida própria, conquanto pouco consistentes.
Características: "semi-astralidade".

3ª) Raça Lemuriana — Estabilização de corpo, forma e vida, e acentuada eliminação dos restos da "astralidade inferior". Com esta raça começaram a descer os capelinos. Não se conhecem as sub-raças.

4ª) Raça Atlante — Predomínio da materialidade inferior. Poderio material. Grupos étnicos: romahals, travlatis, semitas, acádios, mongóis, turanianos e toltecas.

5ª) Raça Ariana — Predomínio intelectual. Evoluiu até o atual quinto grupo étnico, na seguinte ordem: indo-ariana ⇨ acadiana ⇨ caldaica ⇨ egípcia ⇨ europeia.

A substituição das raças não se faz por cortes súbitos e completos, mas, normalmente, por etapas, permanecendo sempre uma parcela, como remanescente histórico e etnográfico. Apesar de pertencermos à Quinta Raça ainda existem na crosta planetária povos representantes das raças anteriores (terceira e quarta)[33] em vias de desaparecimento, nos próximos cataclismos evolutivos.

Ao grande ciclo ariano (5ª raça) na evolução humana compete o desenvolvimento intelectual e às raças seguintes o da intuição e da sabedoria.

---

[33] Para o autor, o conceito destas raças compreende os grandes ciclos evolutivos pelos quais a humanidade planetária evoluiu, do ponto de vista de progressos espirituais, que, como repete várias vezes, é o aspecto em destaque nesta obra.

Os remanescentes históricos e etnográficos da Terceira e Quarta Raças podem ser encontrados em várias regiões isoladas da América, África, Austrália, etc.

Cremos prudente alertar o leitor que, do ponto de vista espiritual, atualmente, toda a humanidade pertence à Quinta Raça, ressalvados os povos "em via de desaparecimento" citados pelo autor. (Nota da Editora)

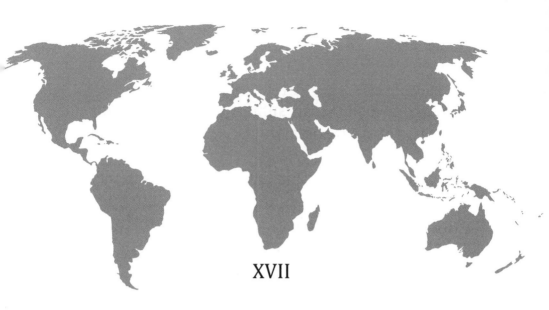

XVII

O DILÚVIO BÍBLICO

Relatados, assim, os dois cataclismos anteriores e os acontecimentos que se lhes seguiram até o estabelecimento dos Árias nas Índias, resta-nos agora descrever o dilúvio asiático — que é aquele a que a *Gênese* se refere — que foi o último ato do grande expurgo saneador da Terra, naquelas épocas heroicas que estamos descrevendo.

Eis como Moisés relata o pavoroso evento:

"E esteve o dilúvio quarenta dias sobre a terra; e todos os altos montes que haviam debaixo de todo o céu foram cobertos.

E expirou toda a carne que se movia sobre a terra...

Tudo que tinha fôlego de espírito de vida sobre a terra, tudo o que havia no seco, morreu...

E ficou somente Noé e os que estavam com ele na Arca." (Gn, 7:17-23)

E agora a narração sumério-babilônica feita por Zisuthrus, rei da Décima Dinastia, considerado o Noé caldaico:

— "O Senhor do impenetrável abismo, anunciou a vontade dos deuses, dizendo: Homem de Surripak, faz um grande navio e acaba-o logo; eu destruirei toda a semente da vida com um dilúvio."

E prossegue o narrador:

— "Quando Xamas veio, no tempo pré-fixado, então, uma voz celestial bradou: à noite farei chover copiosamente; entra no navio e fecha a porta...

Quando o sol desapareceu, fui preso do terror: entrei e fechei a porta...

Durante seis dias e seis noites o vento soprou e as águas do dilúvio submergiram a terra.

Cheio de dor contemplei então o mar; a humanidade em lodo se convertera e, como caniços, os cadáveres boiavam."

Diz a tradição egípcia:

— "Houve grandes destruições de homens, causadas pelas águas.

Os deuses, querendo expurgar a terra, submergiram-na."

E a tradição persa acrescenta:

— "A luz do Ised da chuva brilhou na água durante trinta dias e trinta noites; e ele mandou chuva sobre cada corpo por espaço de dez dias.

A terra foi coberta de água até a altura de um homem.

Depois toda aquela água foi outra vez encerrada."

E os códigos esotéricos hindus narram o seguinte:

— "O dia de Brama não estava ainda terminado, quando se levantou a cólera do Varão Celeste, dizendo:

Por que, transformando minha substância criei o éter, transformando o éter criei o ar, transformando a luz criei a água, e transformando a água criei a matéria?

Por que projetei na matéria o germe universal do qual saíram todas as criaturas animadas?

E eis que os animais se devoram entre si; que o homem luta contra seu irmão, desconhece minha presença e outra coisa não faz que destruir minha obra; que por toda parte o mal triunfa do bem.

Sem atender à eclosão das idades estenderei a noite sobre o universo e reentrarei no meu repouso.

Farei reentrarem as criaturas na matéria, a matéria na água, a água na luz, a luz no ar, o ar no éter e este na minha própria substância.

A água, da qual saíram as criaturas animadas, destruirá as criaturas animadas."

Mas continua a narração:

— "Vishnu, ouvindo estas palavras, dirigiu-se a Brama e pediu-lhe que lhe permitisse a ele mesmo intervir pessoalmente para que os homens não fossem todos destruídos e pudessem se tornar melhores futuramente.

Obtida a concessão, Vishnu ordena ao santo varão Vaiswasvata que construa um grande navio, entre nele com sua família e outros espécimes de seres vivos, para que assim possa ser preservada na terra a semente da vida.

Assim que isso foi feito desabou a chuva, os mares transbordaram e a terra inteira desapareceu sob as águas."

— ➤➤◄◄ —

E continuando, encontramos entre os tibetanos a mesma recordação histórica de um dilúvio havido em tempos remotos, o mesmo sucedendo com os tártaros, cujas tradições dizem que:

— "Uma voz tinha anunciado o dilúvio.

Rebentou a trovoada e as águas, caindo sempre dos céus, arrastaram imundícies para o oceano, purificando a morada dos homens."

E finalmente o acontecimento é contado pelos chineses da seguinte forma:

— "Quando a grande inundação se elevou até o céu, cercou as montanhas, cobriu todos os altos e os povos, perturbados, pereceram nas águas."

— ➤➤◄◄ —

Por estes relatos diferentes se verifica que todos os povos do Oriente conheciam o fato e se referiam a um dilúvio ocorrido nessa vasta região que vai das bordas do Mediterrâneo, na Ásia Menor, ao centro norte do continente asiático.

Em alguns desses relatos as semelhanças são flagrantes e dão a entender que, ou o conhecimento veio, promanando de uma mesma fonte informativa, ou realmente ocorreu, atingindo toda essa região e deixando na consciência coletiva dos diferentes povos que a habitavam a recordação histórica, para logo ser transformada em tradição religiosa.

Por outro lado, há vários contestadores da veracidade do acontecimento, que se valem de diferentes argumentos, entre os quais este: de que chuvas, por mais copiosas e prolongadas que fossem, não bastariam para inundar a terra em tão extensa proporção, cobrindo "altos montes", como diz Moisés, ou "elevando-se até o céu", como diz a tradição chinesa.

Atenta-se, porém, para o fato de que o estilo oriental de narrativas é sempre hiperbólico; como também note-se que os testemunhos de alguns outros povos, como, por exemplo, o persa, não vão tão longe em tais detalhes, e os egípcios, que estão situados tão próximos da Palestina, são ainda mais discretos afirmando unicamente que a terra foi submergida.

Atentando para as narrativas hebraica, hindu, e sumério-babilônica, partes das quais acabamos de transcrever, verifica-se que em todas, entre outras semelhanças, existe a mesma notícia de uma família que se salva das águas, enquanto todos os demais seres perecem.

Julgamos quase desnecessário esclarecer que essas famílias representam a parte melhor da população que se salvou; o conjunto de indivíduos, moralmente mais evoluídos ou moralmente menos degenerados, que a Providência divina preservou do aniquilamento, para que os frutos do trabalho comum, o produto da civilização até aí atingida, não fossem destruídos e pudessem se transmitir às gerações vindouras.

Assim também sucedeu, como já vimos, nos cataclismos anteriores, da Lemúria e da Atlântida e assim sucede invariavelmente todas as vezes que ocorrem expurgos saneadores do ambiente espiritual planetário, a grande massa pecadora é retirada e somente um pequeno número selecionado sobrevive.

Justamente como disse o Divino Mestre na sua pregação:

"São muitos os chamados, poucos os escolhidos." (Mt, 20:16)

No que se refere às controvérsias já citadas, nada mais temos a dizer senão que a circunstância de estar o acontecimento do dilúvio registrado nos arquivos históricos de todos os povos referidos basta para provar sua autenticidade, como também para excluir a hipótese, adotada por alguns historiadores, de que essas narrativas se referem ao dilúvio universal, ou a algum dos períodos glaciários a que atrás nos referimos.

O dilúvio narrado na Bíblia representa a invasão da bacia do Mediterrâneo pelas águas do oceano Atlântico, quando se rompeu o istmo de Gibraltar com o afundamento da Pequena Atlântida e seu cortejo de distúrbios meteorológicos.

Com a descrição do dilúvio asiático e de acordo com a divisão que adotamos para a história do mundo, como consta do capítulo III, aqui fica encerrado o Primeiro Ciclo, o mais longo e difícil para a evolução planetária, que abrange um período de mais de meio bilhão de anos.

XVIII

OS QUATRO POVOS

Após essas impressionantes depurações, os remanescentes humanos agrupados, cruzados e selecionados aqui e ali, por vários processos, e em cujas veias já corria, dominadoramente, o sangue espiritual dos Exilados da Capela, passaram a formar quatro povos principais, a saber: os **árias**, na Europa; os **hindus**, na Ásia; os **egípcios**, na África e os **israelitas**, na Palestina.

Os **árias**, após a invasão da Índia, para aonde se deslocaram, como vimos, sob a chefia de Rama, aí se estabeleceram, expulsando os habitantes primitivos, descendentes dos Rutas da Terceira Raça, e organizando uma poderosa civilização espiritual que, em seguida, se espalhou por todo o mundo.

Deles descendem todos os povos de pele branca que, um pouco mais tarde, conquistaram e dominaram a Europa até o Mediterrâneo.

Os **hindus** se formaram de cruzamentos sucessivos entre os primitivos habitantes da região, que fecundamente proliferaram após as arremetidas dos árias para o Ocidente e para o sul, e dos quais herdaram conhecimentos espirituais avançados e outros elementos civilizadores.

Os **egípcios** — os da primeira civilização — detentores da mais dinâmica sabedoria, povo que, como diz Emmanuel: "Após deixar o testemunho de sua existência gravado nos monumentos imperecíveis das pirâmides, regressou ao paraíso da Capela."

E finalmente os **israelitas**, povo tenaz, orgulhoso, fanático e inamovível nas suas crenças; povo heroico no sofrimento e na fidelidade religiosa, do qual disse o Apóstolo dos Gentios:

— "Todos estes morreram na fé, sem terem recebido as promessas; porém, vendo-as de longe, e abraçando-as, confessaram que eram estrangeiros e peregrinos e hóspedes na Terra." (Hb, 11:13)

Povo que até hoje padece, como nenhum outro dos exilados, por haver desprezado a luz, quando ela no seu seio privilegiado brilhou, segundo a Promessa, na pessoa do Divino Senhor — o Messias.

Como disse o apóstolo João:

— "Nele estava a vida, e a vida era a luz dos homens; e a luz resplandeceu nas trevas, e as trevas não a receberam." (Jo, 1:4-5)

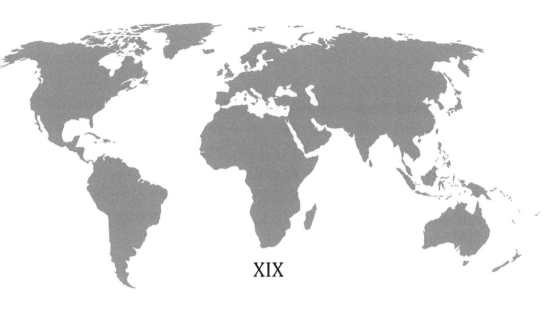

XIX

A MÍSTICA DA SALVAÇÃO

Feito, assim, a largos traços, o relato dos acontecimentos ocorridos nesses tempos remotíssimos da pré-história, sobre os quais a cortina de Cronos velou detalhes que teriam para nós, hoje em dia, imensurável valor, vamos resumir agora o que sucedeu com os quatro grandes povos citados, sobreviventes dos expurgos saneadores, povos esses cuja história constitui o substrato, o pano de fundo do panorama espiritual do mundo até o advento da história contemporânea.

É o relato do segundo ciclo da nossa divisão e vai centralizar a figura sublime e consoladora do Messias de Deus que, nascendo na semente de Abraão e no seio do povo de Israel, legou ao mundo um estatuto de vida moral maravilhoso, capaz de levantar os homens aos mais altos cumes da evolução planetária em todos os tempos.

A vida desses quatro povos é a vida da mesma humanidade, conforme a conhecemos, na trama aparentemente inextricável de suas relações sociais tumultuárias.

O tempo, valendo séculos, a partir daí, transcorreu, e as gerações se foram sucedendo umas às outras, acumulando-se e se beneficiando do esforço, dos sofrimentos e das experiências coletivas da raça.

O panorama terrestre sofreu modificações extraordinárias, com a aplicação da inteligência na conquista da terra e seu cultivo; no desenvolvimento progressivo da indústria, que passou, então, a se utilizar amplamente dos metais e demais elementos da natureza; na construção de cidades cada vez maiores e mais confortáveis; na formação de sociedades cada vez melhor constituídas e mais complexas; de nações mais poderosas; nas lutas da ciência, ainda incipiente, contra a natureza altiva e indomável, que avaramente sonegava seus mistérios e seus tesouros, só os liberando, com prudência e sabedoria, à medida que a Razão humana se consolidava; lutas essas que, por fim, cumularam na aquisição de conhecimentos obtidos à custa de esforços tremendos e sacrifícios sem conta.

Experiências, enfim, árduas e complexas, mas todas indispensáveis, as quais caracterizam a evolução dos homens em todas as esferas e planos da divina criação.

E, como seria natural que sucedesse, em todas essas incessantes atividades os exilados foram, por seus líderes, os pioneiros, os guias e condutores do rebanho imenso.

Predominaram no mundo e absorveram por cruzamentos inúmeros a massa pouco evoluída e semipassiva dos habitantes primitivos.

É verdade que não foi, nem tem sido possível até hoje, obter-se a fusão de todas as raças numa só, de características uniformes e harmônicas — no que respeita principalmente à condição moral — o que dá margem a que no planeta subsistam, coexistindo, tipos humanos da mais extravagante disparidade: antropófagos ao lado de santos, silvícolas ao lado de supercivilizados; isto, todavia, se compreende e justifica ao considerar que a Terra é um orbe de expiação, onde forças diversas e todas de natureza inferior se entrechocam, rumo a uma homogeneidade que só futuramente poderá ser conseguida.

Mas, por outro lado, também é certo que, se não fora a benéfica enxertia representada pela imigração dos capelinos, muito mais retardada ainda seria a situação da Terra no conjunto dos mundos que compõem o seu sistema sideral, mormente no campo intelectual.

--->>>«««<--

Voltando, porém, àqueles recuados tempos de que estamos tratando, verificamos que, apesar das duras vicissitudes por que passaram e das alternativas de sucesso e fracasso na luta pela existência, a recordação do paraíso perdido permaneceu indelével no espírito dos infelizes degredados, robustecida, aliás, periodicamente, pelos estágios de maior lucidez espiritual que gozavam no Espaço, no intervalo das sucessivas reencarnações.

Sempre lhes fulgurou na alma sofredora a intuição da origem superior, dos erros do pretérito e, sobretudo, das promessas de regresso, algum dia, às regiões mais felizes do Cosmo.

Por onde quer que seus passos os levassem, no lamentoso peregrinar; onde quer que levantassem, naqueles tempos, suas tendas rústicas ou acendessem seus fogos familiares sempre, no íntimo dos corações, lhes falava a voz acariciadora da esperança, rememorando as palavras daquela Entidade Divina, senhora de todo poder que, nos páramos de luz onde outrora habitaram, os reuniu e os confortou, antes do exílio, prometendo-lhes auxílio e salvação.

Como narra Emmanuel:

— "Tendo ouvido a palavra do Divino Mestre antes de se estabelecerem no mundo, as raças adâmicas, nos seus grupos isolados, guardaram as reminiscências das promessas do Cristo, que, por sua vez, as fortaleceu no seio das massas, enviando-lhes, periodicamente, seus missionários e mensageiros".[34]

Sim: Rama, Fo-hi, Zoroastro, Hermes, Orfeu, Pitágoras, Sócrates, Confúcio e Platão (para só nos referirmos aos mais conhecidos na história do mundo ocidental) ou o próprio Cristo planetário em suas diferentes representações como Numu, Juno, Anfion, Antúlio, Krisna, Moisés, Buda e finalmente Jesus, esses emissários ou avatares crísticos, em vários pontos da Terra e em épocas diferentes, realmente vieram, numa sequência harmoniosa e uniforme, trazer aos homens sofre-

---

[34] *A Caminho da Luz*, cap. III. (Nota da Editora)

dores os ensinamentos necessários ao aprimoramento dos seus espíritos, ao alargamento da compreensão e ao apressamento dos seus resgates, todos falando a mesma linguagem de redenção, segundo a época em que viveram e a mentalidade dos povos em cujo seio habitaram.

—>»«<—

Assim, pois, a lembrança do paraíso perdido e a mística da salvação pelo regresso, tornaram-se comuns a todos os povos e influíram poderosamente no estabelecimento dos cultos religiosos e das doutrinas filosóficas do mundo; e ainda mais se fortificaram e tomaram corpo, mormente no que se refere aos descendentes de Abraão, quando Moisés a isso se referiu, de forma tão clara e evidente, na sua *Gênese*, ao revelar a queda do primeiro homem e a maldição que ficou pesando sobre toda a sua descendência.

Ora, essa queda e essa maldição, que os fatos da própria vida em geral confirmavam e, de outro lado, o peso sempre crescente dos sofrimentos coletivos, deram motivo a que os degredados se convencessem de que o remédio para tal situação estava acima de suas forças, além de seu alcance, que somente por uma ajuda sobrenatural, apaziguadora da cólera celeste, poderiam libertar-se deste mundo amargurado e voltar à claridade dos mundos felizes.

Fracassando como homens e seguindo os impulsos da intuição imanente, voltaram-se desesperados para as promessas do Cristo, certos de que somente por esse meio alcançariam sua libertação; daí a crença e a esperança universais em um Messias salvador.

--->>><<<---

Mas, por outro lado, isso também deu margem a que a maioria desses povos se deixassem dominar por uma perniciosa egolatria, considerando-se no gozo de privilégios que não atingiam a seus irmãos inferiores — os Filhos da Terra.

Criaram, assim, cultos religiosos exclusivistas, inçados de processos expiatórios, ritos evocativos, e, quanto aos hebreus, adotaram mesmo de uma forma ainda mais radical e particularizada, o estigma da circuncisão, para se marcarem em separado como um povo eleito, predileto de Deus, destinado à bem-aventurança na terra e no céu.

Por isso — como ato de apaziguamento e de submissão — em quase todas as partes do mundo os sacrifícios de sangue, de homens e de animais eram obrigatórios, variando as cerimônias, segundo o temperamento mais ou menos brutal ou fanático dos oficiantes.

Os próprios cânones mosaicos, como os conhecemos, estabeleceram esses sacrifícios sangrentos para o uso dos hebreus, e o Talmude, mais tarde, ratificou a tradição, dizendo: "que o pecado original não podia ser apagado senão com sangue".

E a tradição, se bem que de alguma forma transladada para uma concepção mais alta ou mais mística, prevalece até nossos dias, nas religiões chamadas cristãs, ao considerarem que os pecados dos homens foram resgatados por Jesus, no Calvário, pelo preço do seu sangue, afastando da frente dos homens a responsabilidade inelutável do esforço próprio para a redenção espiritual.

Por tudo isso, se vê quão indelével e profunda essa tradição tinha ficado gravada no espírito dos exilados e quanta amargura lhes causava a lembrança da sentença a que estavam condenados.

E a mística ainda evoluiu mais: propagou-se a crença de que a reabilitação não seria conseguida somente com esses sacrifícios sangrentos, mas exigia, além disso, a intervenção de um ser superior, estranho à vida terrestre, de um deus, enfim, a imolar-se pelos homens; a crença de que o esforço humano, por mais terrível que fosse, não bastaria para tão alto favor, se não fosse secundado pela ação de uma entidade gloriosa e divina, que se declarasse protetora da raça e fiadora de sua remissão.

Não compreendiam, no seu limitado entendimento, que essa desejada reabilitação dependia unicamente deles próprios, do próprio aperfeiçoamento espiritual, da conquista de virtudes enobrecedoras, dos sentimentos de renúncia e de humildade que demonstrassem nas provas pelas quais estavam passando.

Não sabiam — porque, infelizmente para eles, ainda não soara no mundo a palavra esclarecedora do Divino Mestre — que o que com eles se passava não constituía um acontecimento isolado, único em si mesmo, mas sim uma alternativa da lei de evolução e da justiça divina, segundo a qual cada um colhe os frutos das próprias obras.

Por isso, a crença em um salvador divino foi se propagando no tempo e no espaço, atravessando milênios, e a voz sugestiva e influente dos profetas de todas as partes, mas notadamente os de Israel, nada mais fazia que difundir essa crença tornando-a, por fim, universal.

— "É por essa razão" — diz Emmanuel — "que as epopeias do Evangelho foram previstas e cantadas alguns milênios antes da vinda do Sublime Emissário".

—➤➤◄◄—

Como consequência disso, e por esperarem um deus, passaram, então, os homens a admitir que Ele, o Senhor, não poderia nascer como qualquer outro ser humano, pelo contato carnal impuro; como não conheciam outro processo de manifestação na carne, senão a reprodução, segundo as leis do sexo, por toda parte começou a formar-se também a convicção de que o Salvador nasceria de uma virgem que deveria conceber de forma sobrenatural.

Por isso, na Índia lendária, os avatares divinos nascem de virgens, como de virgens nasceram Krisna e Buda; no zodíaco de Rama, a Virgem lá estava no seu quadrante, amamentando o filho; no Egito, a deusa Ísis, mãe de Hórus, é virgem; na China, Sching-Mou, a Mãe Santa, é virgem; virgem foi a mãe de Zoroastro, o iluminado iniciador da Pérsia; todas as demais tradições, como as dos druidas e até mesmo das raças nativas da América, descendentes dos Atlantes, falavam dessa concepção misteriosa e não habitual.

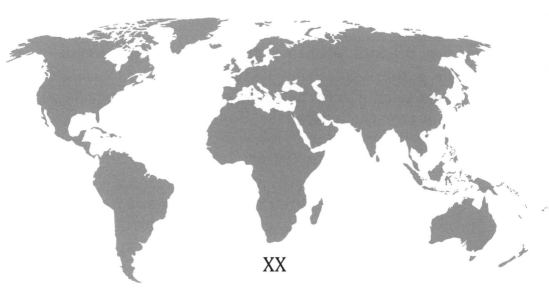

XX

A TRADIÇÃO MESSIÂNICA

Essa era, pois, naqueles tempos, a esperança geral do mundo: o Messias.

— "Uma secreta intuição" — conta Emmanuel — "iluminava o espírito divinatório das massas populares.

Todos os povos O esperavam em seu seio acolhedor; todos O queriam, localizando em seus caminhos sua expressão sublime e divinizada".[35]

Os tibetanos O aguardavam na forma de um herói que regularizaria a vida do povo e o redimiria de seus erros.

Kin-Tsé — o Santo — que não tinha pai humano, era concebido de uma virgem e existia antes mesmo que a Terra existisse.

Diziam d'Ele:

— "Será o deus-homem, andará entre os homens e os homens não O conhecerão.

---
[35] *A Caminho da Luz*, cap. III. (Nota da Editora)

Feri o Santo — dizia a tradição — rasgai-o com açoites, ponde o ladrão em liberdade."

Veja-se em tão curto trecho quanta realidade existia nesta profecia inspirada!

--->>><<<---

Pelo ano 500 a.C., muito antes do drama do Calvário e no tempo de Confúcio, que era então ministro distribuidor de justiça do Império do Meio, foi ele procurado por um dignitário real que o interrogou a respeito do Homem Santo: quem era, onde vivia, como prestar-lhe honras...

O sábio, com a discrição e o entendimento que lhe eram próprios, respondeu que não conhecia nenhum homem santo, nem ninguém que, no momento, fosse digno desse nome; mas que ouvira dizer (quem o disse não sabia) que no Ocidente (em que lugar não sabia) haveria num certo tempo (quando, não sabia) um homem que seria aquele que se esperava.

E suas palavras foram guardadas; transcorreu o tempo e quando, muito mais tarde e com enorme atraso, devido às distâncias e às dificuldades de comunicações, a notícia do nascimento de Jesus chegou àquele longínquo e isolado país, o imperador Ming-Ti enviou uma embaixada para conhecê-Lo e honrá-Lo; porém já se haviam passado sessenta anos desde quando se consumara o sacrifício do Calvário.

--->>><<<---

Na Índia, toda a literatura sagrada dos templos estava cheia de profecias a respeito da vinda do Messias.

O Barta-Chastran, por exemplo, dizia em um de seus belos poemas que em breve nasceria um brama, na cidade de Sçambelan, na morada de um pastor, que libertaria o mundo dos daítias (demônios), purgaria a terra dos seus pecados, estabeleceria um reino de justiça e verdade e **ofereceria um grande sacrifício**.

Nesse poema, além de outras notáveis concordâncias com a futura realidade dos fatos, destaca-se esta: Sçambelan em sânscrito significa "pão de casa"; Belém, em hebraico, significa "casa de pão".

O Scanda-Pourana dizia que:

— "Quando três mil e cem anos da Kali-Iuga[36] se esgotarem o Rei da Glória aparecerá e libertará o mundo da miséria e do mal."

O Agni-Pourana assinalava:

— "Que um poderoso espírito de retidão e de justiça apareceria em dado tempo, nascendo de uma virgem."

E o Vrihat-Catha anunciava:

— "Que nasceria em breve tempo uma encarnação divina com o nome de Vicrama."

---

[36] O Divino Mestre desceu à Terra nos primeiros dias da Kali-Iuga, que é a última das quatro idades (ou eras) da cronologia bramânica — Krita-Iuga, Treta-Iuga, Dvapara-Iuga e Kali-Iuga — e também conhecida como "idade de ferro". A duração dessas idades, segundo o astrônomo hindu Asuramaya, são respectivamente de 1.440.000, 1.080.000, 720.000 e 360.000 anos, com períodos intermediários entre elas que totalizam outros 720.000 anos. Ao todo, soma-se um total de 4.320.000 anos, chamada de "Idade Divina". "Um Dia de Brama" (ou Kalpa) — um dia de manifestação evolutiva do universo Criador — corresponde a mil "Idades Divinas", ou seja 4,32 bilhões de anos. "Uma Noite de Brama" tem igual duração.

Ouçamos, agora, a palavra profética das nações, cujos sacerdotes tinham a primazia na comunhão misteriosa com os astros.

Na Pérsia o primeiro Zoroastro[37], três milênios antes do divino nascimento, já o anunciava a seus discípulos dizendo:

— "Oh! vós, meus filhos, que já estais avisados do Seu nascimento antes de qualquer outro povo; assim que virdes a estrela, tomai-a por guia e ela vos conduzirá ao lugar onde Ele — o Redentor — nasceu.

Adorai-O e ofertai-Lhe presentes, porque Ele é a Palavra — O Verbo — que formou os céus."

Na Caldéia, no tempo de Cambises, Zerdacht — o sacerdote magno — anunciou a vinda do Redentor e a estrela que brilharia por ocasião do Seu nascimento.

No Egito, o país das portentosas construções iniciáticas, Ele era também esperado, desde muito tempo, e em Sua honra os templos sacrificavam nos seus altares.

Na grande pirâmide de Gizé estava gravada a profecia do Seu nascimento, em caracteres hieroglíficos, para conhecimento da posteridade.

O tebano Pamylou, quando, certa vez, visitava o templo de Amon, conta que ouviu, vindo de suas profundezas, uma voz misteriosa e imperativa a bradar-lhe:

"Oh! Tu que me ouvis, anuncia aos mortos o nascimento de Osíris — o grande rei — salvador do mundo."

---

[37] Fundador da religião dos persas, cujo código é o Zend-Avesta. Viveu em 3.200 a.C.

E quanto à Grécia lá está Ele — o Messias — simbolizado no "Prometeu" de Ésquilo, uma das mais poderosas criações do intelecto humano.

E d'Ele disse Platão — o iluminado:

— "Virtuoso até a morte, Ele passará por injusto e perverso e, como tal, será flagelado, atormentado, e, por fim, posto na cruz."

E a essa corrente sublime de vozes inspiradas, que O anunciavam em todas as partes do mundo, vem, então, juntar-se e de forma ainda mais objetiva e impressionante, a palavra profética do povo hebreu.

No IV Livro de Esdras o profeta dizia que o Messias viria da banda do mar.

Jó

Sob o tormento de suas provas, realmente dignificadoras, dizia:

— "Eu sei que o meu Redentor virá e estarei de pé, no derradeiro dia, sobre o pó." (19:25)

Isaías

— "Eis que uma virgem conceberá e gerará um filho e chamará seu nome Emmanuel." (7:14)

— "E a terra que foi angustiada não será entenebrecida: envileceu, nos primeiros tempos, a terra de Zabulom e a terra de Neftali; mas, nos últimos se enobreceu, junto ao caminho do mar, de Além Jordão, na Galileia dos gentios.

E o povo que andava nas trevas viu uma grande luz e sobre os que habitavam a terra de sombras e de morte resplandeceu uma luz." (9:1-2)

Jeremias

— "Eis que vêm dias — diz o Senhor — em que se levantará a Davi, um renovo justo; e, sendo rei, reinará e prosperará e praticará o juízo e a justiça na terra.

Nos seus dias, Judá será salvo e Israel habitará seguro; e este será o seu nome com que o nomearão: O Senhor Justiça Nossa." (23:5-6)

Miquéias

— "E tu, Belém, Efrata, ainda que pequena entre as milhares de Judá, de ti me sairá o que será senhor de Israel e **cujas saídas são desde os tempos antigos, desde os dias da eternidade**[38]." (5:2)

Zacarias

— "Alegra-te muito, ó filha de Sião, ó filha de Jerusalém; eis que o teu rei virá a ti, justo e salvador, pobre e montado sobre um jumento.

Ele falará às nações e o seu domínio se estenderá de um mar a outro mar e desde o rio até as extremidades da terra." (9:9-10)

---

[38] Isto quer dizer: o Cristo planetário, que desce do Plano Espiritual, periodicamente, para viver entre os homens.

Davi — o ancestral

— "O Senhor enviará o cetro de tua fortaleza desde Sião, dizendo: domina no meio dos teus inimigos.

O teu povo será muito voluntarioso no dia do teu poder, nos ornamentos da santidade, desde a madre da alva; tu tens o orvalho da tua mocidade; és o sacerdote eterno segundo a ordem de Melquisedeque; o Senhor, à tua direita, ferirá os reis no dia da tua ira; julgará entre as nações; tudo encherá de corpos mortos, ferirá os cabeças de grandes terras." (Sl, 110:2-6)

E, no Salmo 72:

— "Haverá um justo que domine sobre os homens. E será como a luz da manhã quando sai o sol, manhã sem nuvens, quando pelo seu resplendor e pela chuva, a erva brota da terra.

Ele descerá como a chuva sobre a erva ceifada. Aqueles que habitam no deserto se inclinarão ante Ele e todos os reis se prostrarão e todas as nações o servirão.

Porque Ele livrará ao necessitado quando clamar, como também ao aflito e ao que não tem quem ajude; e salvará as almas dos necessitados, libertará as suas almas do engano e da violência.

O seu nome permanecerá eternamente; se irá propagando de pais a filhos enquanto o sol durar e os homens serão abençoados por Ele e todas as nações o chamarão bem-aventurado."

Daniel

— "Disse o Anjo: setenta semanas estarão determinadas sobre o teu povo para consumir a transgressão, para acabar os pecados, para expiar a iniquidade, para trazer a justiça eterna e para ungir o Santo dos Santos; desde a saída da palavra para fazer tornar até o Messias — o Príncipe". (9:24-25)

Malaquias

— "Eis que eu envio o meu anjo que aparelhará o caminho diante de mim.

E de repente virá ao seu tempo o Senhor que vós buscais, e o anjo do testamento a quem vós desejais.

Mas quem suportará o dia de sua vinda? E quem subsistirá quando Ele aparecer?

Porque Ele será como o fogo do ourives e como o sabão da lavadeira." (3:1-2)

E o coro inicial se amplia, e novamente volta a ronda profética a se repetir, acrescentando detalhes impressionantes pela sua exatidão:

Zacarias

— "Três dias antes que apareça o Messias, Elias virá colocar-se nas montanhas.

Há de chorar e se lamentar dizendo: montanhas da terra de Israel quanto tempo quereis permanecer em sequidão, aridez e solidão?

Ouvir-se-á a sua voz de uma extremidade da terra à outra.

Depois ele dirá: a paz veio ao mundo."

Isaías

— referindo-se aos fins da tragédia dolorosa:

— "Como pasmaram muitos à vista de ti, de que o teu parecer estava tão desfigurado, mais do que outro qualquer e a tua figura mais do que a dos outros filhos dos homens." (52:14)

— "Verdadeiramente Ele tomou sobre si as nossas enfermidades e as nossas dores levou sobre si; e nós o reputávamos por aflito, ferido de Deus e oprimido!

Todos nós andávamos desgarrados como ovelhas; cada um se desviava pelo seu caminho, porque o Senhor fez cair sobre Ele a iniquidade de todos nós.

Ele foi oprimido porém não abriu a sua boca, como um cordeiro foi levado ao matadouro e como a ovelha muda, perante seus tosquiadores, assim não abriu a sua boca.

Da ânsia e do juízo foi tirado e quem contará o tempo da sua vinda?

E puseram sua sepultura com os ímpios e com o rico estava na sua morte, porquanto nunca fez injustiça nem houve engano na sua boca." (53:4-9)

Davi — numa lamentação dolorosa:

— "Meu Deus! Meu Deus! Por que me desamparaste?" (Sl, 22:1)

Não te alongues de mim, pois a angústia está perto e não há quem ajude. (Sl, 22:11)

Rodearam-me cães, o ajuntamento dos malfeitores me cercou; transpassaram-me as mãos e os pés e repartiram entre si os meus vestidos e lançaram sortes sobre a minha túnica." (Sl, 22:16-18)

Zacarias — mais uma vez, como o manto de perdão que cobre todos os pecados:

"Porque derramou sua alma na morte... levou sobre si o pecado de muitos e intercedeu pelos transgressores." (53:12)

Entre os cristãos primitivos havia o texto chamado "David cum sibyla" conhecido como "Dies irae", referindo-se ao juízo final.

E nos templos pagãos dos gregos, romanos, egípcios, caldeus e persas, como nos santuários, tantas vezes tenebrosos, onde as sibilas pontificavam, fazendo ouvir as vozes misteriosas dos "manes" e das "pítias"[39], todas elas, unissonamente, profetizaram sobre o Messias esperado.

Ouçamo-las uma por uma:

Cassandra, a sibila Titurbina
Nos campos de Betlém, em lugar agreste
Eis que uma virgem se torna mãe de um deus!
E o menino, nascido em carne mortal,
Suga o leite puro do seu seio casto.
Oh! Três vezes feliz! Tu aleitarás
O filho do Eterno, protegendo-o com os teus braços.

♦

A sibila Europa
Sob um pequeno alpendre, aberto, inabitado
O Rei dos Reis nasce pobremente.
Ele que tem o poder de dispor de todos os bens!
Vejam: sobre o feno, seu corpo descansa.
Os mortos, do Inferno, piedoso, tirará.
Depois, triunfante, em glória, subirá aos céus.

♦

---

[39] Manes: para os antigos romanos, eram as almas dos mortos, considerados como divindades; pítias: pitonisas, que pronunciavam oráculos em Delfos. (Nota da Editora)

A sibila Helespôntica[40]
Os povos não sofreram mais, como no passado.
Verão em abundância as colheitas de Ceres.
Uma santa jovem, sendo mãe e virgem
Conceberá um filho de poder imortal.
Ele será deus da paz, e o mundo, perdido,
Será salvo por Ele.

◆

A sibila Egípcia
O verbo se fez carne, sem poluição
Duma virgem Ele toma seu corpo.
Exprobará o vício; e a alma depravada
Ante Ele cobrirá a face.
Aqueles que ante Ele se arrependeram
Terão socorro e graça na hora do sofrimento.

◆

Amaltéia, sibila Cumana
Deus, para nos resgatar, toma a humana vestidura.
Mais do que a nossa salvação, nada lhe é mais caro.
A paz, à sua vinda, descerá à Terra,
A tranquilidade florirá; e o Universo, sem guerra,
Não será mais de perturbações agitado.
A idade de ouro retomará seu brilho.

◆

Ciméria, sibila de Cumes[41]
Num século surgirá o dia
Em que o Rei dos Reis habitará conosco.

---

[40] Que viveu por volta de 560 a.C.
[41] Sacerdotisa de Apolo.

Três Reis do Oriente, guiados pela luz
Dum astro rutilante, que ilumina a jornada,
Virão adorá-Lo e humildes, prosternados,
Lhe oferecerão ouro, incenso e mirra.

◆

Prisca, sibila Eritréia
Vejo o Filho de Deus, vindo do Olimpo
Entre os braços de uma virgem hebreia.
Que lhe oferece o seio puro.
Em sua vida viril, entre penas cruéis,
Sofrerá por aqueles
Que O fizerem nascer, mostrando
Que, como um Pai, se afligiu por eles.

◆

A sibila Líbica[42]
Um rei do povo hebreu será o Redentor
Bom, justo e inocente. Pelo homem pecador
Padecerá muito. Com olhar arrogante
Os escribas O acusarão de se dar
Como Filho de Deus. Ao povo Ele ensinará
Anunciando-lhe a salvação.

◆

Sambeta, sibila Pérsica[43]
Do Filho do Eterno uma virgem
Será mãe. Seu nascimento trará ao mundo
A vida e a salvação. Com grande modéstia,

---

[42] Filha de Nonnullio.
[43] Filha de Berosi.

Conquanto rei, montado sobre um asno,
Ele fará sua entrada em Solyme[44], onde injuriado,
E condenado pelos maus, sofrerá a morte.

♦

Daphné, a sibila Délfica

Depois que alguns anos passarem
O Deus, duma virgem nascido, aos homens aflitos
Fará luzir a esperança da redenção.
Conquanto tudo possa (e quão alto está
O seu trono) Ele sofrerá
A morte para, da morte, resgatar seus povos.

♦

Phito-sibila Samiense

Eis que os santos decretos se cumprem.
Entre os dias mais claros, este é,
Duma bela claridade que tudo ilumina.
As trevas se vão. Deus, seu Filho nos manda
Para abrir nossos olhos. Eia! Vede o imortal
Que de espinhos se cobre e por nós se entrega à
morte.

♦

E, por fim, a sibila Ancyra, da Frígia

O Filho Excelso do Pai Poderoso,
Tendo sofrido a morte abate-se, frio, inerte,
Sobre o colo débil de sua mãe.
Vendo-lhe o corpo dessangrado
Ela sofre profundo golpe. Ei-lo! Está morto!

---

[44] Jerusalém.

Sem Ele nós morreríamos em nossos próprios pecados.

De todas as sibilas celebradas pela tradição ou pela história, que viveram naqueles recuados tempos, como instrumentos das revelações do Plano Espiritual, da Pérsia ao Egito e à Grécia, poucas foram as que deixaram de referir-se ao advento do Messias esperado.

Eis quais foram:

Lampúsia — a colofoniense, descendente de Calchas, que combateu com os gregos em Tróia.

Cassandra — filha de Príamo.

A sibila Epirótica — filha de Tresprótia.

Manto — filha de Tirésias, célebre vidente de Tebas e Beócia, cantada por Homero.

Carmenta — mãe de Evandro.

Elissa — a sibila lésbica, citada por Pausânias — que se dizia filha da ninfa Lâmia.

Ártemis — irmã de Apolo, que viveu em Delfos.

Hierophila, finalmente, sibila cumana, que se avistou nos primeiros dias de Roma com Tarquínio Soberbo.

E como poderiam essas mulheres inspiradas fechar os olhos à luz radiante que descia dos céus?[45]

---

[45] Estas profecias foram rigorosamente cumpridas, o que demonstra o sublime encadeamento dos eventos da vida espiritual planetária, como também prova o quanto eram iluminados pela Verdade os instrumentos humanos que as proferiram.

E o próprio Mestre, nos inesquecíveis dias da sua exemplificação evangélica não disse — "que não vinha destruir a lei, mas cumpri-la?" E quantas vezes não advertiu: — "que era necessário que assim procedesse, para que as escrituras se cumprissem!"

Portanto, nas tradições que cultuamos, a Verdade se contém indestrutível e do passado se projeta no futuro como uma luz forte que ilumina todo o caminho da nossa marcha evolutiva.

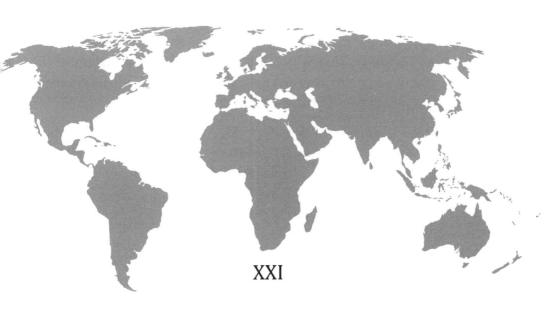

XXI

E O VERBO SE FEZ CARNE

E então vieram dias nos quais mais que nunca, havia uma aura de expectação em toda a Natureza e um mudo e singular anseio no coração dos homens.

As vozes dos profetas tinham soado, advertindo todo o mundo sobre o advento miraculoso e até mesmo o local do divino nascimento já estava determinado, como vimos por Miquéias, da Palestina, e pelo Barta-Chastran, da Índia.

Estava-se no século de Augusto, sob um pleno reinado de paz e de glória.

O espírito dos dominadores saciado de vitórias e derrotas, repousava...

Floresciam as artes, a literatura, a indústria e o comércio, e a charrua arroteava os campos fecundos, conduzida pelas mãos rudes e calejadas dos guerreiros inativos.

Em todos os lares, plebeus ou patrícios, as oferendas votivas se acumulavam nos altares engalanados dos deuses penates.

Os templos sagrados de Marte tinham, enfim, cerrado suas portas; e as naves romanas trirremes, ao cantar monótono e doloroso dos escravos remadores, sulcavam, altivas, os verdes mares latinos, pejadas de mercadorias pacíficas vindas de todos os portos do globo.

Na Roma imperial os dias se levantavam e se deitavam ao esplendor bárbaro e fascinante das diversões infindáveis dos anfiteatros repletos; e, sob a segurança das multidões apaziguadas pelo aroma do pão de trigo, bendito e farto, que não faltava mais em nenhum lar, o César sobrevivia...

Saturado de glória efêmera e apoiado nas suas legiões invencíveis, e senhor do mundo, recebia, indiferente e entediado, as homenagens e as reverências de todas as nações que conquistara.

A ordem romana, a lei romana, a paz romana, sem contestadores, imperavam por toda parte.

Mas, inexplicavelmente, envolta a essa atmosfera de alegria e de abundância soprava, não se sabendo donde vinha nem para aonde ia, uma aragem misteriosa e indefinível de inquietação íntima e de ansiedade, de temor insólito e de emoção.

Rumores estranhos circulavam de boca em boca, de cidade em cidade, nação em nação, penetrando em todos os lares e corações; uma intuição maravilhosa e profunda de alguma coisa extraordinária que estava para acontecer, que modificaria a vida do mundo.

Olhos interrogadores se voltavam de contínuo para os céus, perscrutando os horizontes em busca de sinais e evidências desse acontecimento surpreendente que se aproximava.

As sibilas, oráculos e adivinhos eram consultados com mais frequência e os homens idosos, de mais experiência e bom conselho, eram procurados e ouvidos com mais respeito e reverência.

Foi quando Virgílio escreveu esta profecia memorável, que tão depressa viria a ter cumprimento:

— "Vede como todo o mundo se abala, como as terras e os vastos mares exultam de alegria, com o século que vai começar!...

O Infante governará o mundo purificado... A serpente perecerá."

E, logo em seguida, como inspiradamente revelando a verdade:

— "Chegam, enfim, os tempos preditos pela sibila de Cumes: vai se abrir uma nova série de ciclos; a Virgem já volve ao reino de Saturno; surgirá uma nova raça; um novo rebento desce do alto dos céus."

E o grande dia, então, surgiu, quando o César desejando conhecer a soma de seus inumeráveis súditos, determinou o censo da população de todo o seu vasto império.

Então, José, carpinteiro modesto e quase desconhecido, da pequena vila de Nazaré, na Galileia dos Gentios e natural de Belém, tomou de sua esposa Míriam — que estava grávida — e empreendeu a jornada inesquecível. Por serem pobres e humildes, aceitaram o auxílio de amigos solícitos e abrigaram-se em um estábulo de granja. Ali, então, o grande fato da história espiritual do mundo sucedeu.

Aquele que devia redimir a humanidade de seus males foi ali exposto, envolto apressadamente em panos pobres e seus primeiros vagidos foram emitidos em pleno desconforto, salvo o que lhe vinha da desvelada assistência dos seus genitores; o mesmo desconforto, aliás, que O acompanharia em todos os dias de sua vida, que O levou a dizer mais tarde, já em pleno exercício de sua missão salvadora: "o Filho do Homem não tem onde repousar a cabeça."

O espírito glorioso e divino deu assim ao mundo, desde o nascer, um exemplo edificante de humildade e de desprendimento; o desejado de todos os povos, o reclamado por todos os corações e anunciado por todos os profetas, em todas as línguas do mundo, então conhecido, nasceu, assim, quase ignorado numa casa humilde para que o Evangelho que ia mais tarde pregar, de renúncia e de fraternidade, recebesse d'Ele mesmo, desde os primeiros instantes, tão patético e comovente testemunho.

Emocionante momento esse!...

A estrela dos sacerdotes caldaicos se levantara no horizonte; o Verbo se fizera carne e, descendo à terra, habitara entre os homens.

O Sol, em seu giro fecundante, gloriosamente entrava em Peixes, e a ampulheta do tempo, nesse instante, marcou o encerramento de um ciclo que teve início, como já vimos, com a depuração espiritual do mundo, após a comunhão de espíritos do céu e da terra, a queda de uns servindo à elevação de outros, visando à unidade, que é a consumação fundamental da criação divina.

Também marcou a abertura de um outro ciclo, em que os frutos dos ensinamentos trazidos pelos Enviados do Senhor e por Ele próprio ratificados e ampliados, quando entre os homens viveu, brotassem, fecundos e promissores, da árvore eterna da vida, para que a evolução da humanidade, daí por diante, se desenvolvesse em bases morais mais sólidas e perfeitas.

A promessa feita nos páramos etéreos da Capela estava, pois, cumprida: Ele desceu, o Divino Senhor, ao seio ignaro e impuro da massa humana terrestre, para trazer o auxílio prometido para redimir com sua presença, sua exemplificação e seus ensinamentos sublimes, as duas raças de homens, a da Capela e a da Terra que, no correr dos tempos, mesclaram, confraternizaram e partilharam os mesmos sofrimentos, angústias e esperanças.

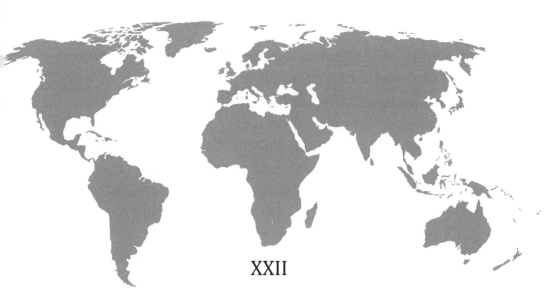

XXII

A PASSAGEM DO MILÊNIO

Assim atingimos o último ciclo.

Dois mil anos são transcorridos, após o sublime avatar; entretanto, eis que a humanidade vive agora um novo período de ansiosa e dolorosa expectativa; mais que nunca, e justamente porque seu entendimento se alargou, crescendo sua responsabilidade, necessita ela de um Redentor.

Porque os ensinamentos maravilhosos do Messias de Deus foram, em grande parte, desprezados ou deturpados.

O rumo tomado pelas sociedades humanas não é aquele que o Divino Pastor apontou ao rebanho bruto dos primeiros dias, aos Filhos da Promessa que desceram dos céus, e continua a apontar às gerações já mais esclarecidas e conscientes dos nossos tempos.

Os homens se desviaram por maus caminhos e se perderam nas sombras da maldade e do crime.

Como da primeira vez, os degredados e seus descendentes deixaram-se corromper pelas paixões e foram dominados pelas tentações do mundo material.

Sua inteligência, grandemente desenvolvida no transcorrer dos séculos, foi aplicada na conquista de bens perecíveis; os templos dos deuses da guerra, transferidos agora para as oficinas e as chancelarias, nunca mais, desde muito, se fecharam, e a violência e a corrupção dominam por toda a terra.

O amálgama das raças e sua espiritualização na unidade — que era a tarefa planetária dos Exilados — não produziram os desejados efeitos, pois que parte da humanidade vive e se debate na voragem nefanda da morte, destruindo-se mutuamente, enquanto muitos dos Filhos da Terra ainda permanecem na mais lamentável barbárie e na ignorância de suas altas finalidades evolutivas.

Pode hoje o narrador repetir como antigamente:

— "e viu o Senhor que a maldade do homem se multiplicara sobre a terra..." (Gn, 6:5)

Por isso, agora, ao nos avizinharmos do encerramento deste ciclo, nossos corações se confrangem e atemorizam: tememos o dia do novo juízo, quando o Cristo, sentado no seu trono de luzes, pedir-nos contas de nossos atos.

Porque está escrito, para se cumprir como tudo o mais se tem cumprido:

— "O Filho do Homem será o juiz.

Pois, como o Pai tem em si mesmo a vida, concede também ao Filho possuir a vida em si; igualmente deu-lhe o poder de julgar, porque é o Filho do Homem." (Jo, 5:22,26-27)

Não virá Ele, é certo, conviver conosco novamente na Terra, como nos tempos apostólicos, mas, conforme estiver presente ou ausente em nossos corações, naquilo que ensinou e naquilo que, essencialmente, Ele mesmo é, a saber: sabedoria, amor e pureza — assim seremos nós apartados uns dos outros.

-->>>‹‹‹--

Já dissemos e mostramos que, de tempos em tempos, periodicamente, a humanidade atinge um momento de depuração, que é sempre precedido de um expurgo planetário, para que dê um passo avante em sua rota evolutiva.

Estamos, agora, vivendo novamente um período desses e, nos planos espirituais superiores, já se instala o divino tribunal; seu trabalho consiste na separação dos bons e dos maus, dos compatíveis e incompatíveis com as novas condições de vida que devem reinar na Terra futuramente.

No Evangelho, como já dissemos, está claramente demonstrada pelo próprio mestre a natureza do veredito: passarão para a direita os espíritos julgados merecedores de acesso, aqueles que, pelo seu próprio esforço, conseguiram a necessária transformação moral; os já então incapazes de ações criminosas conscientes; os que tiverem dominado os instintos da violência, pela paz; do egoísmo, pelo desprendimento; da ambição, pela renúncia; da sensualidade, pela pureza.

Todos aqueles, enfim, que possuírem em seus perispíritos a luminosidade reveladora da renova-

ção, esses passarão para a direita; poderão fazer parte da nova humanidade redimida; habitarão o mundo purificado do Terceiro Milênio, onde imperarão novas leis, novos costumes, nova mentalidade social, e no qual os povos, pela sua elevada conduta moral, tornarão uma realidade viva os ensinamentos do Messias.

Quanto aos demais, aqueles para os quais as luzes da vida espiritual ainda não se acenderam, esses passarão para a esquerda, serão relegados a mundos inferiores, afins, onde viverão imersos em provas mais duras e acerbas, prosseguindo na expiação de seus erros, com os agravos da obstinação.

Todavia, a misericórdia, como sempre, os cobrirá, pois terão como tarefa redentora o auxílio e a orientação das humanidades retardadas desses mundos, com vistas ao apressamento de sua evolução coletiva.

Então, como sucedeu com os capelinos, em relação à Terra, assim sucederá com os terrícolas em relação aos orbes menos felizes, para onde forem degredados e, perante os quais como antigamente sucedeu, transformar-se-ão em Filhos de Deus, em anjos decaídos.

—➤➤◀◀—

E o Senhor disse:

— "Em verdade, vos digo que não passará esta geração sem que todas estas coisas aconteçam." (Mt, 24:34)

Em sua linguagem sugestiva e alegórica referia-se o Mestre a esta geração terrena, formada por todas as raças, cuja evolução vem da noite dos tempos, nos períodos geológicos, alcança os nossos dias e prosseguirá pelo tempo adiante.

Não passará, quer dizer: não ascenderá na perfectibilidade, não habitará mundos melhores, não terá vida mais feliz, antes que redima os erros do pretérito e seja submetida ao selecionamento que se dará neste fim de ciclo que se aproxima.

Assim, o expurgo destes nossos tempos — que já está sendo iniciado nos planos etéreos — promoverá o alijamento de espíritos imperfeitos para outros mundos e, ao mesmo tempo, a imigração de espíritos de outros orbes para este.

Os que já estão vindo agora, formando uma geração de crianças tão diferentes de tudo quanto tínhamos visto até o presente, são espíritos que vão tomar parte nos últimos acontecimentos deste período de transição planetária, que antecederá a renovação em perspectiva; porém, os que vierem em seguida, serão já os da humanidade renovada, os futuros **homens da intuição** formadores de nova raça — a sexta — que habitará o mundo do Terceiro Milênio.

Já estão descendo à Terra os Espíritos Missionários, auxiliares do Divino Mestre, encarregados de orientar as massas e ampará-las nos tumultos e nos sofrimentos coletivos que vão entenebrecer a vida planetária nestes últimos dias do século.

Lemos no Evangelho e também ouvíamos, de há muito, a palavra dos Mensageiros do Senhor advertindo que **os tempos se aproximavam** e, caridosamente, aconselhando aos homens que se guardassem do mal, orando e vigiando, como recomendara o Mestre.

Mas, agora, essas mesmas vozes nos dizem que **os tempos já estão chegados**, que o machado já está posto novamente à raiz das árvores e os fatos que se desenrolam perante nossos olhos estão de forma evidente, comprovando as advertências.

Estas, como também sucedeu nos tempos da Codificação, são uniformes nos seus termos em todos os lugares e ocasiões, demonstrando, assim, que há uma ordenação de caráter geral, vinda dos Planos Superiores, para a coordenação harmoniosa e concordante dos acontecimentos planetários.

Que ninguém, pois, permaneça indiferente a estes misericordiosos avisos, para que possa, enquanto ainda é tempo, engrossar as fileiras daqueles que, no próximo julgamento, serão dignos da graça e da felicidade da redenção.

O Sol entrará, agora, no signo de Aquário.

Este é um signo de luz e de espiritualidade e governará um mundo novo onde, como já dissemos, mais altos atributos morais caracterizarão o homem planetário; onde não haverá mais lugar para as imperfeições que ainda hoje nos dominam; onde somente viverão aqueles que forem dignos do título de Discípulos do Cristo em Espírito e Verdade.

O novo ciclo — que se chamará o Reino do Evangelho — será iniciado pelos homens da Sexta Raça e terminado pelos da Sétima, e em seu transcurso a terra se transformará de mundo de expiação em mundo regenerado.

Em grande maioria, julgamos, os atuais moradores da Terra não serão dignos de habitar esse mundo melhor, porque o nível médio da espiritualização planetária é ainda muito precário; todavia, nem por isso seremos privados, qualquer que seja a nossa sorte, dos benefícios da compaixão do Senhor e de Sua ajuda divina; e essa esperança nos levanta, ainda em tempo, para novas lutas, novas tentativas, novos esforços redentores.

Cristo, essa luz que não pudemos ainda conquistar, representa para nossos espíritos retardados, um ideal humano a atingir, um arquétipo de sublimada expressão espiritual e seu Evangelho, de beleza ímpar e de sabedoria incomparável, uma meta a alcançar algum dia.

O homem desviou-se de seus rumos, fugiu do aprisco acolhedor, entronizando a inteligência e desprezando os sentimentos do coração.

A ciência produziu frutos em largas messes que, entretanto, têm sido amargos, não servindo para alimentar a alma, enobrecendo-a.

Agora chegará o momento em que o coração dirá ao cérebro: "basta", e o homem, com base nas palavras do Messias, provará que somente o amor redime para a eternidade.

Por isso, no novo ciclo que se vai abrir, repetimos: um novo paraíso será perdido para muitos; novos Filhos de Deus mais uma vez acharão formosas as Filhas da Terra, tomá-las-ão para si e ouvirão novamente a palavra do Senhor, dizendo:

"Frutificai e multiplicai e enchei a Terra." (Gn, 1:22)

E um pouco mais os sinais desse dia surgirão no mundo, não mais somente provocados pela Natureza, como no passado, mas pelo próprio homem, com a aplicação do próprio engenho, desvairado, para que, assim, a responsabilidade do espírito seja completa.

O Evangelho foi ensinado para aplicação em todo um período de tempo e não para uma só época.

Por isso, o que o Mestre disse ontem é como se o dissesse hoje, porque, com ligeiras modificações, tão bem se aplica aos dias em que Ele viveu como aos que nós estamos vivendo.

Os cataclismos antigos eram necessários para o sofrimento coletivo tanto quanto os modernos, visto que o homem pouca coisa evoluiu em todo esse tempo, e o sofrimento continua sendo o elemento mais útil ao seu progresso espiritual.

Em tempos idos, de uma erupção espontânea de Júpiter ou da ruptura de um de seus setores, nasceu um cometa[46] que, pela sua aproximação da Terra, causou profundos e impressionantes cataclismos. Terras novas surgiram, mares e oceanos modificaram sua posição, dilúvios, terremotos, maremotos, descargas elé-

---

[46] Segundo dados da astronomia moderna, relativamente à formação cometária, é improvável que os mesmos tenham se originado de uma erupção planetária; entretanto, a hipótese de que a Terra teria sido atingida por um cometa no final do Cretáceo, causando a extinção de muitas espécies, é sustentada por muitos cientistas.(Nota da Editora)

tricas de tremendo poder destruidor, envenenamento da atmosfera, meteoritos, tudo desabou sobre o nosso torturado planeta, aterrorizando seus bárbaros e ignorantes habitantes.

Mas, por força desta aproximação cometária, a Terra passou a girar do Ocidente para o Oriente, ao contrário de como era antes, por terem seus polos se invertido.[47]

Este mesmo acontecimento provocou um deslocamento da órbita de Marte que, a partir daí, começou a girar muito perto da órbita da Terra, de 15 em 15 anos.

Segundo outras hipóteses, muito tempo atrás, antes da vinda do Mestre, Marte passou tão perto que provocou, também, inúmeros e temerosos cataclismos, e a sombra do Sol, recuou 10 graus, como consequência da alteração do eixo da Terra em relação à eclíptica; a órbita por sua vez aumentou de 5 dias em torno do Sol e o eixo de rotação deslocou-se 20 graus, trazendo como consequência, inundações e regelamento de extensas regiões vizinhas dos polos.

Por fim, a Terra estabilizou-se.

Mas todos estes cataclismos, segundo o que consta dos livros sagrados das religiões e anúncio de profetas de reputada sabedoria, deverão repetir-se, e novos corpos celestes entrarão em cena provocando novas desgraças.

No sermão profético o Mestre avisou: — "E ouvireis de guerras e rumores de guerras; olhai, não vos

---

[47] Essa teoria da inversão dos polos da Terra é citada diversas vezes em *A Doutrina Secreta*, Vol. III, Antropogênese, por H.P. Blavatsky.
O único fenômeno dessa natureza admitido pela Ciência, contudo, e desconhecido à época de Blavatsky, é a inversão dos polos geomagnéticos num espaço estimado entre dois mil e dez mil anos. (Nota da Editora)

assusteis, porque é mister que isso tudo aconteça, mas ainda não é o fim.

Porque se levantará nação contra nação e reino contra reino e haverá fome, peste, e terremotos em vários lugares.

Mas todas essas coisas são o princípio das dores." (Mt, 24:6-8)

— "E o Sol escurecerá e a Lua não dará o seu resplendor e as estrelas cairão do céu e as potências dos céus serão abaladas". (Mt, 24:29)

E João, no seu Apocalipse, referindo-se aos mesmos cataclismos diz: — "E havendo aberto o 6º selo olhei e eis que houve um grande tremor de terra e o sol tornou-se negro como um saco de cilício e a lua tornou-se como sangue.

E as estrelas do céu caíram sobre a terra, como quando a figueira lança de si os seus figos verdes, abalada por um vento forte.

E o céu retirou-se como um livro que se enrola, e todos os montes e ilhas se moveram de seus lugares." (6:12-14)

E no cap. 21: — "Eu vi um novo céu e uma nova Terra, porque o primeiro céu e a primeira Terra desapareceram, e o mar já não existia."

—>»«<—

Desde os tempos remotos de Israel muito antes que o Verbo Divino viesse mostrar aos homens o caminho reto da salvação, as vozes veneráveis e impressionantes dos profetas já alertavam os homens sobre os cataclismos do futuro.

Diz Joel no cap.3:15-16: — "Deus fará, então, tremer os céus e a Terra; o Sol e a Lua enegrecerão e as estrelas retirarão seu esplendor."

E, Malaquias, no cap.3:16-18: — " Então aqueles que temem ao Senhor falam cada um com o seu companheiro e o Senhor atenta e ouve; e há um memorial escrito diante d'Ele para os que temem o Senhor e para os que se lembram do seu nome.

E eles serão meus, diz o Senhor, naquele dia que os farei minha propriedade; poupá-los-ei como um homem poupa seu filho que o serve. Então tornareis a ver a diferença entre o justo e o ímpio, entre o que serve a Deus e o que não O serve."

Porque eis que aquele dia vem ardendo como um forno.

Isaías, no cap. 24:17-23, reafirma solenemente:

— "Já as janelas do alto se abrem e os fundamentos da Terra tremerão. De todo será quebrantada a Terra, de todo se romperá a Terra e de todo se moverá a Terra. De todo se balanceará a Terra como o bêbado e será movida e removida como a choça da noite.

E a Lua se envergonhará e o Sol se confundirá."

E o Apóstolo Pedro, na sua segunda epístola, cap. 3:12, diz, rematando estas profecias: "Os céus incendiados se desfarão e os elementos ardendo se fundirão. A Terra e todas as obras que nela há serão queimadas."[48]

---

[48] Há divergências sobre este ponto: grupos de cientistas creem na volta dos glaciários, mas preferimos o abrasamento da profecia, como já sucedeu na Atlântida, onde aconteceu depois o resfriamento.

Pois todas estas profecias se aplicam aos nossos tempos e são corroboradas pela própria ciência astronômica.

Por outro lado, as profecias, a começar do sermão profético de Jesus, todas se referem a alterações no funcionamento do Sol e da Lua, e consultando, agora, Nostradamus, o célebre médico e astrólogo francês falecido em 1566, vemos que ele confirma, séculos depois, as profecias israelitas, acrescentando-lhes detalhes impressionantes.

Quanto ao aparecimento de um cometa perigoso, diz ele:

— *"Quando o Sol ficar completamente eclipsado, passará em nosso céu um novo corpo celeste, que será visto em pleno dia.*

Aparecerá no Setentrião, não longe de Câncer, um cometa. A um eclipse do Sol sucederá o mais tenebroso verão que jamais existiu desde a criação até a paixão e morte de Jesus Cristo e de lá até esse dia."

E prossegue:

— *"Uma grande estrela, por sete dias, abrasará. Nublada, fará dois sóis aparecerem.*

E quando o corpo celeste for visto a olho nu, haverá grande dilúvio, tão grande e tão súbito que a onda passará sobre os Apeninos."

E em seguida:

— *"O Sol escondido e eclipsado por Mercúrio passará para um segundo céu.*

— *Ao aproximar-se da Terra, o seu disco aparecerá duas vezes maior que o Sol, e os planetas também aparecerão maiores e baixarão de grau.*

Uma grande translação se produzirá, de tal modo que julgarão a Terra fora de sua órbita e abismada em trevas eternas.

A Lua escurecida em profundas trevas, ultrapassa seu irmão na cor da ferrugem.

Por causa da Lua dirigida por seu anjo o céu desfará as inclinações com grande perturbação, tremerá a Terra com a modificação, levantando a cabeça para o céu."

Quer dizer: a aproximação da Lua influirá para que a Terra perca a inclinação atualmente existente de 23º e 28' sobre a eclíptica, voltando à posição vertical, e isto como bem se percebe trará tremendas alterações sobre a disposição das terras e das águas sobre a crosta.[49]

—➤➤◄◄◄—

Ouçamos, agora, uma voz profética do Espaço, em mensagens mediúnicas[50]:

— *"Como auxiliares dos Senhores de Mundos exis-tem legiões de espíritos eminentemente sábios e alta-mente poderosos, que planejam o funcionamento dos sis-temas siderais, com milhões de anos de antecedência;*

---

[49] Embora as previsões alarmantes de Nostradamus, com respeito a catástrofes e verticalização do eixo da Terra, esta última foi considerada uma utopia, de tra-dições muito antigas, pelo astrônomo francês Camille Flammarion (1842-1925), (em *Astronomia e Astrologia*, Hélio Amorim, Centro Astrológico de São Paulo, pág. 215, vol. I), em busca de um equilíbrio perfeito nas estações. Já o poeta inglês John Milton (1608-74), no poema "Paraíso Perdido", canto X, fala do mito de Adão e Eva e dos anjos mandados pelo Senhor "que empurravam com força o eixo do globo para o inclinarem." (Nota da Editora)

[50] Mensagens que constam da obra *Mensagens do Astral*, Ramatís, Edit. Freitas Bastos, págs.34 a 39, 10ª edição, e que divergem em alguns pontos, de natureza científica, com a realidade dos fatos, e concordam em outros. (Nota da Editora)

outros que planejam as formas de coisas e seres, e outros, ainda, que fiscalizam esse funcionamento, fazendo com que as leis se cumpram inexoravelmente.

Há um esmerado detalhamento, tanto no trabalho da criação como no do funcionamento dos sistemas e dos orbes. Enquanto a ciência terrestre se ocupa unicamente de fatos referentes aos limitados horizontes que lhe são marcados, a ciência dos Espaços opera na base de galáxias, de sistemas e de orbes, em conjunto, abrangendo vastos e incomensuráveis horizontes no tempo e no espaço.

No que se respeita aos astros individualmente e aos sistemas, a supervisão destes trabalhos compete a espíritos da esfera crística que, na hierarquia celestial, se conhecem como Senhores de Mundos.

Estes espíritos, quando descem aos mundos materiais, fazem-no após demorada e dolorosa preparação, por estradas vibratórias rasgadas através de esferas cada vez mais pesadas, descendo de plano a plano até surgirem crucificados como deuses nos ergástulos da matéria que forma o plano onde se detêm, na execução das tarefas salvadoras.

A vida humana nos mundos inferiores, por muito curta que seja, não permite que os espíritos encarnados percebam a extensão, a amplitude e a profundidade das sublimes atividades desses altíssimos espíritos; seria preciso unir muitas vidas sucessivas, numa sequência de milênios, para ter um vislumbre, conquanto ainda ínfimo, desse trabalho criativo e funcional que se opera no campo da vida infinita.

Os períodos de expurgo estão também previstos nesse planejamento imenso. Quando os orbes se aproximam desses períodos, entram em uma fase de transição durante a qual aumenta enormemente a intensidade física e emocional da vida dos espíritos encarnados ali, quase sempre de baixo teor vibratório, vibração essa que se projeta maleficamente na aura própria do orbe e nos planos espirituais que lhe são adjacentes; produz-se uma onda de magnetismo deletério, que exige um processo, quase sempre violento e drástico, de purificação geral.

Estamos, agora, em pleno regime dum período destes. O expurgo que se aproxima será feito em grande parte com auxílio de um astro 3.200[51] vezes maior que a Terra, que para aqui se movimenta, rapidamente, há alguns séculos, e sua influência já começou a se exercer sobre a Terra de forma decisiva, quando o calendário marcou o início do segundo período deste século.

Essa influência irá aumentando progressivamente até esta época[52], que será para todos os efeitos o momento crucial desta dolorosa transição.

Como sua órbita é oblíqua em relação ao eixo da Terra, quando se aproximar mais, pela força magnética de sua capacidade de atração de massas, promoverá a verticalização do eixo com todas as terríveis consequências que este fenômeno produzirá.

Por outro lado, quando se aproximar, também sugará da aura terrestre todas as almas que afinem com ele

---

[51] Ainda não existe confirmação quanto ao citado astro, astronomicamente falando, nem quanto ao seu tamanho, mesmo porque o autor se refere à sua aura etéreo-astral. (Nota da Editora)

[52] Essas são épocas consideradas críticas, sob o ponto de vista de alterações climáticas tanto quanto de crises socioeconômicas. (Nota da Editora)

no mesmo teor vibratório de baixa tensão; ninguém resistirá à força tremenda de sua vitalidade magnética; da Crosta, do Umbral e das Trevas nenhum espírito se salvará dessa tremenda atração e será arrastado para o bojo incomensurável do passageiro descomunal.

Com a verticalização do eixo da Terra, profundas mudanças ocorrerão: maremotos, terremotos, afundamento de terras, elevação de outras, erupções vulcânicas, degelos e inundações de vastos territórios planetários, profundas alterações atmosféricas e climáticas, fogo e cinzas, terror e morte por toda a parte.

Mas, passados os tormentosos dias, os polos se tornarão novamente habitáveis e a Terra se renovará em todos os sentidos, reflorescendo a vida humana em condições mais perfeitas e mais felizes. A humanidade que virá habitá-la será formada de espíritos mais evoluídos, já filiados às hostes do Cristo, amanhadores de sua seara de amor e de luz, evangelizados, que já desenvolveram em apreciável grau as formosas virtudes da alma que são atributos de **Discípulos**.

Milhares de condenados já estão sentindo, na Crosta e nos Espaços, a atração terrível, o fascínio desse abismo que se aproxima, e suas almas já se tornam inquietas e aflitas. Por toda parte do mundo a paz, a serenidade, a confiança, a segurança desapareceram, substituídas pela angústia, pelo temor, pelo ódio, e haverá dias, muito próximos, em que verdadeiro pânico tomará conta das multidões, como epidemias contagiantes e velozes.

A partir de agora, diz a mensagem, a população do orbe tenderá a diminuir com os cataclismos da Natureza *e com as destruições inconcebíveis provocadas pelos próprios homens. No momento final do expurgo somente uma terça parte da humanidade se encontrará ainda encarnada; bilhões de almas aflitas e trementes sofrerão nos Espaços a atração mortífera do terrível agente cósmico.*

Voltemo-nos, pois, para o Cristo, enquanto é tempo; filiemo-nos entre os que o servem, com humildade e amor, servindo ao próximo, e abramos os nossos corações, amplamente, amorosamente, para o sofrimento do mundo, do nosso mundo..." [53]

Ouçamos, agora, a ciência do mundo atual.

Segundo revelações conhecidas, vindas do Plano Espiritual em várias datas, os acontecimentos previstos para este fim de ciclo evolutivo, diariamente, vão-se aproximando, e seus primeiros sinais podemos verificar à simples observação do que se passa no mundo que nos rodeia, tanto no setor humano, como no da Natureza.

Segundo revelações novas, provindas do mesmo Plano, o começo crítico desses acontecimentos se dará em 1984[54]; mas como são revelações que vêm através da mediunidade, muita gente, inclusive espíritas, não lhes dão muita atenção.

---

[53] Estas revelações diferem muito pouco do que foi previsto por Nostradamus e outros; um dos pontos diferentes é no afirmar que a verticalização do eixo terrestre será promovida pela aproximação de um planeta, quando Nostradamus afirma que o será pela Lua.

[54] Considerando a época em que tais mensagens foram escritas (em torno de 1950), as previsões se confirmaram, uma vez que 1983/84 foram anos muito críticos para o clima do planeta — com muitas enchentes e secas — tanto quanto para a economia mundial. (Nota da Editora)

Mas sucede que agora a própria ciência materialista está trazendo seu contributo e confirmações, sobretudo na parte referente às atividades astronômicas e geofísicas.

As últimas publicações prenunciam para 1983 terríveis acontecimentos revelados por cientistas da Universidade do Colorado, nos Estados Unidos, e de Sidney, na Austrália, e dizem que se está encaminhando um alinhamento de planetas do nosso sistema em um dos lados do Sol[55], que isso provocará um aumento considerável de manchas solares e de labaredas, de dimensões inusitadas, que impulsionarão o vento solar; correntes volumosas de radiações e de partículas atômicas que se projetarão sobre a Terra colidindo com sua atmosfera, criando auroras, formando tempestades violentas que perturbarão o ritmo de rotação do planeta, modificando o ângulo de sua inclinação sobre a órbita, com as terríveis consequências que estes fenômenos provocarão.

É evidente que a esta parte astronômica e geofísica se acrescentarão as ocorrências já previstas, de caráter espiritual que não se torna necessário aqui repetir.

No fim deste século, o clima em todo o mundo estará mais quente, o nível dos oceanos estará mais elevado e os ventos mudarão de direção.

---

[55] O alinhamento de planetas — exteriores à Terra, de movimento orbital mais lento — já foi muito comentado nos meios astronômicos e astrológicos, e na mídia em geral. Um fenômeno dessa natureza pode ocasionar alterações físicas sobre o campo magnético da Terra e, provavelmente, sobre as criaturas que nela habitam. Gráficos provam que as concentrações planetárias coincidem com períodos críticos da humanidade, como no século XX: 14; 29/30; 40/42; 64; 68/69; 79/83; 91/92 (*Astrologia Mundial, El Gran Desequilibrio Planetário de 1982-1983*, Andre Barbault, Vision Libros, Barcelona). (Nota da Editora)

É esta a conclusão a que chegaram os cientistas do Observatório Geofísico de Leningrado[56], na Rússia, depois de estudarem matematicamente as tendências das mudanças climáticas ocorridas até agora na Terra.

Dizem eles que com o aumento da temperatura da atmosfera terrestre, no fim do século, as calotas polares terão retrocedido (diminuído) consideravelmente e haverá modificações na distribuição das chuvas.

Estes prenúncios científicos destacam justamente os pontos mais marcantes das previsões espirituais que têm sido reveladas aos homens encarnados pelo Plano Espiritual, através de médiuns de confiança, que asseguram a necessária autenticidade das comunicações.

Assim, pois, estamos no princípio das dores e um pouco mais os sinais dos grandes tormentos estarão visíveis no céu e na Terra, não havendo mais tempo para tardios arrependimentos.

Nesse dia:

— "Quem estiver no telhado não desça à casa e quem estiver no campo não volte atrás." (Lc, 17:31)

Porque haverá grandes atribulações e cada homem e cada mulher estará entregue a si mesmo.

Ninguém poderá interceder pelo próximo; haverá um tão grande desalento que somente a morte será o desejo dos corações; até o Sol se esconderá, porque a atmosfera se cobrirá de sombras; e nenhuma prece

---

[56] Atual São Petersburgo. (Nota da Editora)

mais será ouvida e nenhum lamento mais comoverá as Potestades ou desviará o curso dos acontecimentos.

Como está escrito:

— "E nesse dia haverá uma grande aflição como nunca houve nem nunca há de haver." (Mt, 24:21)

Porque o Mestre é o Senhor, e se passam a Terra e os Céus Suas palavras não passarão.

E Ele disse:

— "Jerusalém! Jerusalém! Quantas vezes quis eu ajuntar os teus filhos como a galinha ajunta os seus pintos debaixo das asas e não o quiseste...

Por isso, não me vereis mais até que digais: Bendito seja o que vem em nome do Senhor." (Lc, 13:34-35)

E enquanto nossos olhos conturbados perscrutam os céus, seguindo, aflitos, a réstia branca de luz que deixa, na sua esteira, a linda Capela, o orbe longínquo dos nossos sonhos, reboa ainda aos nossos ouvidos, vindas das profundezas do tempo, as palavras comovedoras de João, nos repetindo:

— "Ele era a luz dos homens, a luz resplandeceu nas trevas e as trevas não a receberam." (Jo, 1:4-5)

E só então, penitentes e contritos, nós medimos, na trágica e tremenda lição, a enormidade dos nossos erros e a extensão imensa de nossa obstinada cegueira:

— porque fomos daqueles para os quais, naquele tempo, a luz resplandeceu e foi desprezada;

— somos daqueles que repudiamos a salvação;

— somos os proscritos que ainda não se redimiram e que vão ser novamente julgados, pesados e medidos, no tribunal do divino poder.

Por isso, é que permanecemos ainda neste vale expiatório de sombras e de morte a entoar, lamentosamente, a nênia melancólica do arrependimento.

Jerusalém! Jerusalém!

APÊNDICE

FIG. 7 - QUADRO DOS PERÍODOS PALEONTOLÓGICOS E GEOLÓGICOS

PERÍODO PALEONTO-LÓGICO	PERÍODO GEOLÓGICO	FORMAS CARACTERÍSTICAS DE VIDA	PERÍODO CULTURAL	PROGRESSOS CARACTERÍSTICOS
Arqueozóico há 4,6 bilhões de anos	Arqueano	Ausência de vestígios definidos; prováveis formas unicelulares		
Proterozóico há 590 milhões de anos	Cambriano Ortodoviciano Siluriano Devoniano Carbonífero Permiano	Moluscos, esponjas, insetos, primeiros invertebrados, corais, tubarões, algas marinhas, peixes pulmonares, crustáceos, primeiros anfíbios, grandes anfíbios, fetos		
Mesozóico há 248 milhões de anos	Triássico Jurássico Cretáceo	Répteis gigantescos, répteis diversificados, aves, marsupiais, peixes ósseos, árvores		
Cenozóico há 65 milhões de anos	Eoceno	Mamíferos primitivos, primeiros primatas		
	Oligoceno	Símios primitivos, antepassados dos macacos; roedores; camelos.		
	Mioceno	Antepassados dos grandes símios, árvores de folhagem caduca		
	Plioceno	Antepassados do homem, mamíferos modernos		
	Pleistoceno (período Glaciário) 1,8 milhão - 35.000 a.C.	Espécies humanas primitivas outros primatas	Paleolítico inferior	Linguagem falada, conhecimento do fogo, sepultamento dos mortos, armas e utensílios de pedra
	Holoceno ou Recente (35.000 a.C.)	Animais e raças humanas atuais	Paleolítico superior Neolítico	Agulhas, arpões, anzóis, magia, arte, organização social, agricultura, domesticação de animais, navegação, instituições
			Homem civilizado	Bronze, ferro, escrita, arte, tecnologia, ciência, literatura, etc.

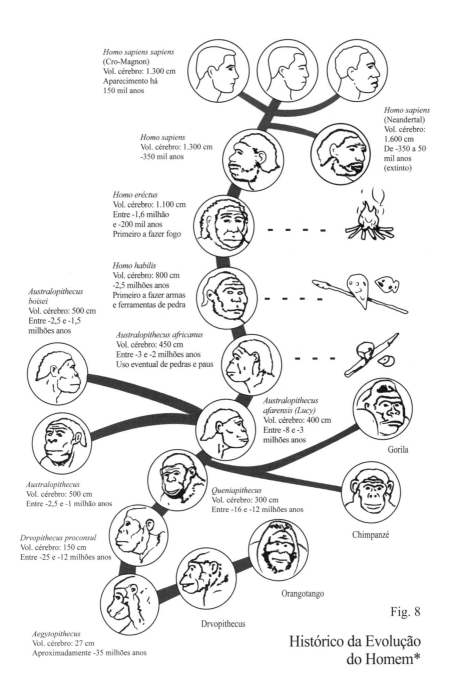

Fig. 8
Histórico da Evolução do Homem*

*Ciências e Educação Ambiental, Os Seres Vivos, Daniel Cruz, Edit. Ática, pg. 207, 24ª Edição.

Aliança

Trilogia Edgard Armond

NA CORTINA DO TEMPO

14 x 21 cm
128 páginas

Todas as ações humanas ficam registradas no Plano etéreo, na forma de gravações akásicas, para auxiliar o esforço educativo das almas. Através desse recurso valioso, conhecemos os principais acontecimentos que levaram a última comunidade religiosa da Atlântida a escapar da submersão, salvando suas tradições espirituais e levando a semente da Nova Civilização.

Trilogia Edgard Armond

ALMAS AFINS

16 x 23 cm
128 páginas

Interessantes aspectos da lei da reencarnação, do carma e da justiça divina, acompanhando a trajetória de Espíritos afins desde os tempos dos continentes submersos da Lemúria de Atlântida, passando pela 18º Dinastia do antigo Egito, até chegar aos dias atuais, quando essas mesmas personagens dedicam-se a valiosas colaborações de natureza evangélica sob a bandeira do Cristianismo puro.

**Agora em todas as regiões do Brasil
o número de atendimento telefônico do CVV é**

188

www.cvv.org.br

A ligação é gratuita
de telefone fixo, celular
e orelhão 24 horas, todos
os dias da semana.